Mon premier Hugo

ISBN : 2-7459-0254-7

Victor Hugo

Mon premier Hugo

Textes choisis
par Michel Piquemal

Hugo, le prophète

Je voudrais vous faire aimer Hugo ! Parce que c'est le plus grand des poètes, parce que c'est notre monstre sacré ! Il n'y a pas d'écrivains qui symbolisent mieux que lui dans le monde entier notre génie français, notre idéal de liberté et de justice.

Je voudrais vous faire aimer Hugo, parce qu'il y a tout dans Hugo, toute la poésie possible et imaginable. Il est le chef de file de l'école romantique, partant en guerre contre les vieilles barbes classiques, mais il va bien au-delà de ce romantisme qu'il a incarné. Il annonce déjà Baudelaire, Verlaine et Rimbaud, mais aussi la poésie moderne et même le surréalisme. Rien ne manque à sa palette ! Du lyrisme, de l'épopée, de la satire, de la fantaisie, des pages visionnaires... Sa poésie est un immense océan, tour à tour calme, accueillant, fraternel et nourricier puis brusquement déchaîné, tempêtant pour défendre ce qu'il croit juste...

Je voudrais vous faire aimer Hugo parce que c'est un poète populaire. Ses thèmes sont ceux de la vie la plus simple : l'enfance, l'amour, le travail, la beauté de la nature, la paternité, l'idée de Dieu, la mort, la douleur des hommes, la justice. Il aime les gens, les petites gens. Plutôt que de l'art pour l'art, il fait, selon sa propre formule, de « l'art pour l'humanité ». Pour lui, le poète a une mission, celle de guider les hommes dans un message d'amour, de justice et de vérité. Dans sa poésie, comme dans sa vie d'homme politique, il se bat inlassablement : contre la peine de mort, l'intolérance religieuse, l'ignorance et l'analphabétisme, la bêtise des guerres, la soumission des femmes et l'injustice sociale... Toute sa vie durant, il met son talent au service des humbles et des « misérables ».

Je voudrais vous faire aimer Hugo parce que c'est un poète qui a souffert, terriblement souffert... mais qui, dans les épreuves mêmes, trouve la force de renouveler toute son œuvre. Lui qui a connu très tôt gloire et succès, le voilà à cinquante ans soudain banni. Napoléon III, dont il a dénoncé la dictature, le contraint à fuir la France durant dix-neuf ans. Comble de malheur, il voit mourir tour à tour ses enfants bien-aimés. Et il nous dit sa douleur dans des poèmes d'une bouleversante sincérité. Quel lecteur peut rester indifférent devant les pages qu'il a consacrées au chagrin de la mort de sa fille Léopoldine (si intimes qu'il a attendu seize ans pour les publier) ? Ce père détruit, cet exilé de Guernesey, cet immense poète nous semble alors si proche, si humainement fragile...

Mais enfin et surtout, je voudrais vous faire aimer Hugo parce qu'il n'en finit pas d'être moderne... Tout ce qu'il a dénoncé dans son œuvre, depuis la peine de mort et le travail des enfants, jusqu'au respect de la nature et des bêtes, est aujourd'hui d'une terrible actualité. Deux siècles après sa naissance, il est bien devenu pour nous ce prophète inspiré que doit être selon lui le poète.

Alors, ouvrez ces pages, feuilletez, plongez-vous dans quelques-uns de ses poèmes. Je saurai alors mon pari gagné. Vous l'aimez déjà !

MICHEL PIQUEMAL

Sentiment amoureux

Je respire où tu palpites,
Tu sais ; à quoi bon, hélas !
Rester là si tu me quittes,
Et vivre si tu t'en vas ?

À quoi bon vivre, étant l'ombre
De cet ange qui s'enfuit ?
À quoi bon, sous le ciel sombre,
N'être plus que de la nuit ?

Je suis la fleur des murailles
Dont avril est le seul bien.
Il suffit que tu t'en ailles
Pour qu'il ne reste plus rien.

Tu m'entoures d'auréoles ;
Te voir est mon seul souci.
Il suffit que tu t'envoles
Pour que je m'envole aussi.

Si tu pars, mon front se penche ;
Mon âme au ciel, son berceau,
Fuira, car dans ta main blanche
Tu tiens ce sauvage oiseau.

Que veux-tu que je devienne
Si je n'entends plus ton pas ?
Est-ce ta vie ou la mienne
Qui s'en va ? Je ne sais pas.

Quand mon courage succombe,
J'en reprends dans ton cœur pur ;
Je suis comme la colombe
Qui vient boire au lac d'azur.

L'amour fait comprendre à l'âme
L'univers, sombre et béni ;
Et cette petite flamme
Seule éclaire l'infini.

Sans toi, toute la nature
N'est plus qu'un cachot fermé,
Où je vais à l'aventure,
Pâle et n'étant plus aimé.

Sans toi, tout s'effeuille et tombe;
L'ombre emplit mon noir sourcil;
Une fête est une tombe,
La patrie est un exil.

Je t'implore et te réclame;
Ne fuis pas loin de mes maux,
Ô fauvette de mon âme
Qui chantes dans mes rameaux!

De quoi puis-je avoir envie,
De quoi puis-je avoir effroi,
Que ferai-je de la vie
Si tu n'es plus près de moi?

Tu portes dans la lumière,
Tu portes dans les buissons,
Sur une aile ma prière,
Et sur l'autre mes chansons.

Que dirai-je aux champs que voile
L'inconsolable douleur ?
Que ferai-je de l'étoile ?
Que ferai-je de la fleur ?

Que dirai-je au bois morose
Qu'illuminait ta douceur ?
Que répondrai-je à la rose
Disant : « Où donc est ma sœur ? »

J'en mourrai ; fuis, si tu l'oses.
À quoi bon, jours révolus !
Regarder toutes ces choses
Qu'elle ne regarde plus ?

Que ferai-je de la lyre,
De la vertu, du destin ?
Hélas ! et, sans ton sourire,
Que ferai-je du matin ?

Que ferai-je, seul, farouche,
Sans toi, du jour et des cieux,
De mes baisers sans ta bouche,
Et de mes pleurs sans tes yeux !

Août 18..

in « L'Âme en fleur (XXV) », *Les Contemplations*, livre II

Aimons toujours ! aimons encore !
Quand l'amour s'en va, l'espoir fuit.
L'amour, c'est le cri de l'aurore,
L'amour, c'est l'hymne de la nuit.

Ce que le flot dit aux rivages,
Ce que le vent dit aux vieux monts,
Ce que l'astre dit aux nuages,
C'est le mot ineffable : Aimons !

L'amour fait songer, vivre et croire.
Il a, pour réchauffer le cœur,
Un rayon de plus que la gloire,
Et ce rayon, c'est le bonheur !

Aime ! qu'on les loue ou les blâme,
Toujours les grands cœurs aimeront :
Joins cette jeunesse de l'âme
À la jeunesse de ton front !

Aime, afin de charmer tes heures !
Afin qu'on voie en tes beaux yeux
Des voluptés intérieures
Le sourire mystérieux !

Aimons-nous toujours davantage !
Unissons-nous mieux chaque jour.
Les arbres croissent en feuillage ;
Que notre âme croisse en amour !

Soyons le miroir et l'image !
Soyons la fleur et le parfum !
Les amants, qui, seuls sous l'ombrage,
Se sentent deux et ne sont qu'un !

Les poètes cherchent les belles.
La femme, ange aux chastes faveurs,
Aime à rafraîchir sous ses ailes
Ces grands fronts brûlants et rêveurs.

– Venez à nous, beautés touchantes !
Viens à moi, toi, mon bien, ma loi !
Ange ! viens à moi quand tu chantes,
Et, quand tu pleures, viens à moi !

Nous seuls comprenons vos extases.
Car notre esprit n'est point moqueur ;
Car les poètes sont les vases
Où les femmes versent leurs cœurs.

Moi qui ne cherche dans ce monde
Que la seule réalité,
Moi qui laisse fuir comme l'onde
Tout ce qui n'est que vanité,

Je préfère aux biens dont s'enivre
L'orgueil du soldat ou du roi,
L'ombre que tu fais sur mon livre
Quand ton front se penche sur moi.

Toute ambition allumée
Dans notre esprit, brasier subtil,
Tombe en cendre ou vole en fumée,
Et l'on se dit : « Qu'en reste-t-il ? »

Tout plaisir, fleur à peine éclose
Dans notre avril sombre et terni,
S'effeuille et meurt, lis, myrte ou rose,
Et l'on se dit : « C'est donc fini ! »

L'amour seul reste. Ô noble femme,
Si tu veux, dans ce vil séjour,
Garder ta foi, garder ton âme,
Garder ton Dieu, garde l'amour !

Conserve en ton cœur, sans rien craindre,
Dusses-tu pleurer et souffrir,
La flamme qui ne peut s'éteindre
Et la fleur qui ne peut mourir !

Mai 18..

in « L'Âme en fleur (XXII) », *Les Contemplations*, livre II

L'hirondelle au printemps cherche les vieilles tours,
Débris où n'est plus l'homme, où la vie est toujours;
La fauvette en avril cherche, ô ma bien-aimée,
La forêt sombre et fraîche et l'épaisse ramée,
La mousse, et, dans les nœuds des branches,
[les doux toits
Qu'en se superposant font les feuilles des bois.
Ainsi fait l'oiseau. Nous, nous cherchons, dans la ville,
Le coin désert, l'abri solitaire et tranquille,
Le seuil qui n'a pas d'yeux obliques et méchants,
La rue où les volets sont fermés; dans les champs,
Nous cherchons le sentier du pâtre et du poète;
Dans les bois, la clairière inconnue et muette
Où le silence éteint les bruits lointains et sourds.
L'oiseau cache son nid, nous cachons nos amours.

Fontainebleau, juin 18..

in « L'Âme en fleur (XVI) », *Les Contemplations*, livre II

Mon bras pressait ta taille frêle
Et souple comme le roseau;
Ton sein palpitait comme l'aile
D'un jeune oiseau.

Longtemps muets, nous contemplâmes
Le ciel où s'éteignait le jour.
Que se passait-il dans nos âmes?
Amour! Amour!

Comme un ange qui se dévoile,
Tu me regardais, dans ma nuit,
Avec ton beau regard d'étoile,
Qui m'éblouit.

Forêt de Fontainebleau, juillet 18..

in «L'Âme en fleur (X)», *Les Contemplations*, livre II

Mes vers fuiraient, doux et frêles,
Vers votre jardin si beau,
Si mes vers avaient des ailes,
Des ailes comme l'oiseau.

Ils voleraient, étincelles,
Vers votre foyer qui rit,
Si mes vers avaient des ailes,
Des ailes comme l'esprit.

Près de vous, purs et fidèles,
Ils accourraient nuit et jour,
Si mes vers avaient des ailes,
Des ailes comme l'amour.

Paris, mars 18..

in « L'Âme en fleur (II) », *Les Contemplations*, livre II

Vieille chanson du jeune temps

Je ne songeais pas à Rose ;
Rose au bois vint avec moi ;
Nous parlions de quelque chose,
Mais je ne sais plus de quoi.

J'étais froid comme les marbres ;
Je marchais à pas distraits ;
Je parlais des fleurs, des arbres ;
Son œil semblait dire : « Après ? »

La rosée offrait ses perles,
Le taillis ses parasols ;
J'allais ; j'écoutais les merles,
Et Rose les rossignols.

Moi, seize ans, et l'air morose.
Elle vingt ; ses yeux brillaient.
Les rossignols chantaient Rose
Et les merles me sifflaient.

Rose, droite sur ses hanches,
Leva son beau bras tremblant
Pour prendre une mûre aux branches ;
Je ne vis pas son bras blanc.

Une eau courait, fraîche et creuse,
Sur les mousses de velours ;
Et la nature amoureuse
Dormait dans les grands bois sourds.

Rose défit sa chaussure,
Et mit, d'un air ingénu,
Son petit pied dans l'eau pure ;
Je ne vis pas son pied nu.

Je ne savais que lui dire ;
Je la suivais dans le bois,
La voyant parfois sourire
Et soupirer quelquefois.

Je ne vis qu'elle était belle
Qu'en sortant des grands bois sourds.
« Soit ; n'y pensons plus ! » dit-elle.
Depuis, j'y pense toujours.

Paris, juin 1831

in « Aurore (XIX) », *Les Contemplations*, livre I

La Coccinelle

Elle me dit : « Quelque chose
Me tourmente. » Et j'aperçus
Son cou de neige, et, dessus,
Un petit insecte rose.

J'aurais dû – mais, sage ou fou,
À seize ans on est farouche, –
Voir le baiser sur sa bouche
Plus que l'insecte à son cou.

On eût dit un coquillage ;
Dos rose et taché de noir.
Les fauvettes pour nous voir
Se penchaient dans le feuillage.

Sa bouche fraîche était là :
Je me courbai sur la belle,
Et je pris la coccinelle ;
Mais le baiser s'envola.

« Fils, apprends comme on me nomme »,
Dit l'insecte du ciel bleu,
« Les bêtes sont au bon Dieu ;
Mais la bêtise est à l'homme. »

Paris, mai 1830

in « Aurore (XV) », *Les Contemplations*, livre I

Lise

J'avais douze ans; elle en avait bien seize.
Elle était grande, et, moi, j'étais petit.
Pour lui parler le soir plus à mon aise,
Moi, j'attendais que sa mère sortît;
Puis je venais m'asseoir près de sa chaise
Pour lui parler le soir plus à mon aise.

Que de printemps passés avec leurs fleurs!
Que de feux morts, et que de tombes closes!
Se souvient-on qu'il fut jadis des cœurs?
Se souvient-on qu'il fut jadis des roses?
Elle m'aimait. Je l'aimais. Nous étions
Deux purs enfants, deux parfums, deux rayons.

Dieu l'avait faite ange, fée et princesse.
Comme elle était bien plus grande que moi,
Je lui faisais des questions sans cesse
Pour le plaisir de lui dire: Pourquoi?
Et par moments elle évitait, craintive,
Mon œil rêveur qui la rendait pensive.

[...]
Elle disait de moi : C'est un enfant !
Je l'appelais mademoiselle Lise.
Pour lui traduire un psaume, bien souvent,
Je me penchais sur son livre à l'église ;
Si bien qu'un jour, vous le vîtes, mon Dieu !
Sa joue en fleur toucha ma lèvre en feu.

Jeunes amours, si vite épanouies,
Vous êtes l'aube et le matin du cœur.
Charmez l'enfant, extases inouïes !
Et, quand le soir vient avec la douleur,
Charmez encor nos âmes éblouies,
Jeunes amours, si vite épanouies !

Mai 1843

in « Aurore (XI) », *Les Contemplations*, livre I

À doña Rosita Rosa

I

Ce petit bonhomme bleu
Qu'un souffle apporte et remporte,
Qui, dès que tu dors un peu,
Gratte de l'ongle à ta porte,

C'est mon rêve. Plein d'effroi,
Jusqu'à ton seuil il se glisse.
Il voudrait entrer chez toi
En qualité de caprice.

Si tu désires avoir
Un caprice aimable, leste,
Et prenant un air céleste
Sous les étoiles du soir,

Mon rêve, ô belle des belles,
Te convient ; arrangeons-nous.
Il a ton nom sur ses ailes
Et mon nom sur ses genoux.

Il est doux, gai, point morose,
Tendre, frais, d'azur baigné.
Quant à son ongle, il est rose,
Et j'en suis égratigné.

II

Prends-le donc à ton service.
C'est un pauvre rêve fou ;
Mais pauvreté n'est pas vice.
Nul cœur ne ferme au verrou ;

Ton cœur, pas plus que mon âme,
N'est clos et barricadé.
Ouvre donc, ouvrez, madame,
À mon doux songe évadé.

Les heures pour moi sont lentes,
Car je souffre éperdument ;
Il vient sur ton front charmant
Poser ses ailes tremblantes.
T'obéir sera son vœu ;
Il dorlotera ton âme ;

Il fera chez toi du feu,
Et, s'il le peut, de la flamme.

Il fera ce qui te plaît ;
Prompt à voir tes désirs naître ;
Belle, il sera ton valet,
Jusqu'à ce qu'il soit ton maître.

in *Les Chansons des rues et des bois*, livre I, chap. VI, IV

À Rosita

Tu ne veux pas aimer, méchante?
Le printemps en est triste, vois;
Entends-tu ce que l'oiseau chante
Dans la sombre douceur des bois?

Sans l'amour rien ne reste d'Ève;
L'amour, c'est la seule beauté;
Le ciel, bleu quand l'astre s'y lève,
Est tout noir, le soleil ôté.

Tu deviendras laide toi-même
Si tu n'as pas plus de raison.
L'oiseau chante qu'il faut qu'on aime,
Et ne sait pas d'autre chanson.

in *Les Chansons des rues et des bois*, livre I, chap. VI, V

C'est parce qu'elle se taisait

Son silence fut mon vainqueur ;
C'est ce qui m'a fait épris d'elle.
D'abord je n'avais dans le cœur
Rien qu'un obscur battement d'aile.

Nous allions en voiture au bois,
Seuls tous les soirs, et loin du monde ;
Je lui parlais, et d'autres voix
Chantaient dans la forêt profonde.

Son œil était mystérieux.
Il contient, cet œil de colombe,
Le même infini que les cieux,
La même aurore que la tombe.

Elle ne disait rien du tout,
Pensive au fond de la calèche.
Un jour je sentis tout à coup
Trembler dans mon âme une flèche.

L'Amour, c'est le je ne sais quoi.
Une femme habile à se taire
Est la caverne où se tient coi
Ce méchant petit sagittaire.

in *Les Chansons des rues et des bois*, livre I, chap. VI, VI

Le Doigt de la femme

Dieu prit sa plus molle argile
Et son plus pur kaolin,
Et fit un bijou fragile,
Mystérieux et câlin.

Il fit le doigt de la femme,
Chef-d'œuvre auguste et charmant,
Ce doigt fait pour toucher l'âme
Et montrer le firmament.

Il mit dans ce doigt le reste
De la lueur qu'il venait
D'employer au front céleste
De l'heure où l'aurore naît.

Il y mit l'ombre du voile,
Le tremblement du berceau,
Quelque chose de l'étoile,
Quelque chose de l'oiseau.

Le Père qui nous engendre
Fit ce doigt mêlé d'azur,
Très fort pour qu'il restât tendre,
Très blanc pour qu'il restât pur,

Et très doux, afin qu'en somme
Jamais le mal n'en sortît,
Et qu'il pût sembler à l'homme
Le doigt de Dieu, plus petit.

[…]
Ayant fait ce doigt sublime,
Dieu dit aux anges : Voilà !
Puis s'endormit dans l'abîme ;
Le diable alors s'éveilla.

Dans l'ombre où Dieu se repose,
Il vint, noir sur l'orient,
Et tout au bout du doigt rose
Mit un ongle en souriant.

in *Les Chansons des rues et des bois*, livre I, chap. VI, I

Je ne me mets pas en peine
Du clocher ni du beffroi;
Je ne sais rien de la reine,
Et je ne sais rien du roi;

J'ignore, je le confesse,
Si le seigneur est hautain,
Si le curé dit la messe
En grec ou bien en latin;

S'il faut qu'on pleure ou qu'on danse,
Si les nids jasent entr'eux;
Mais sais-tu ce que je pense?
C'est que je suis amoureux.

Sais-tu, Jeanne, à quoi je rêve?
C'est au mouvement d'oiseau
De ton pied blanc qui se lève
Quand tu passes le ruisseau.

Et sais-tu ce qui me gêne ?
C'est qu'à travers l'horizon,
Jeanne, une invisible chaîne
Me tire vers ta maison.

Et sais-tu ce qui m'ennuie ?
C'est l'air charmant et vainqueur,
Jeanne, dont tu fais la pluie
Et le beau temps dans mon cœur.

Et sais-tu ce qui m'occupe,
Jeanne ? c'est que j'aime mieux
La moindre fleur de ta jupe
Que tous les astres des cieux.

in *Les Chansons des rues et des bois*, livre I, chap. III, I

Oh ! qui que vous soyez, jeune ou vieux, riche
[ou sage,
Si jamais vous n'avez épié le passage,
Le soir, d'un pas léger, d'un pas mélodieux,
D'un voile blanc qui glisse et fuit dans les ténèbres,
Et, comme un météore au sein des nuits funèbres,
Vous laisse dans le cœur un sillon radieux ;

Si vous ne connaissez que pour l'entendre dire
Au poète amoureux qui chante et qui soupire,
Ce suprême bonheur qui fait nos jours dorés,
De posséder un cœur sans réserve et sans voiles,
De n'avoir pour flambeaux, de n'avoir pour étoiles,
De n'avoir pour soleils que deux yeux adorés ;

[...]
Si vous n'avez jamais descendu les collines,
Le cœur tout débordant d'émotions divines;
Si jamais vous n'avez, le soir, sous les tilleuls,
Tandis qu'au ciel luisaient des étoiles sans nombre,
Aspiré, couple heureux, la volupté de l'ombre,
Cachés et vous parlant tout bas, quoique tout seuls;

Si jamais une main n'a fait trembler la vôtre;
Si jamais ce seul mot qu'on dit l'un après l'autre:
Je t'aime! n'a rempli votre âme tout un jour;
Si jamais vous n'avez pris en pitié les trônes
En songeant qu'on cherchait les sceptres, les couronnes
Et la gloire, et l'empire, et qu'on avait l'amour!

[...]
Si jamais vous n'avez, à l'heure où tout sommeille,
Tandis qu'elle dormait oublieuse et vermeille,
Pleuré comme un enfant à force de souffrir,
Crié cent fois son nom du soir jusqu'à l'aurore,
Et cru qu'elle viendrait en l'appelant encore,
Et maudit votre mère, et désiré mourir ;

Si jamais vous n'avez senti que d'une femme
Le regard dans votre âme allumait une autre âme,
Que vous étiez charmé, qu'un ciel s'était ouvert,
Et que pour cette enfant, qui de vos pleurs se joue,
Il vous serait bien doux d'expirer sur la roue...
Vous n'avez point aimé, vous n'avez point souffert !

Novembre 1831

in *Les Feuilles d'automne* (XXIII)

Chanson

Si vous n'avez rien à me dire,
Pourquoi venir auprès de moi ?
Pourquoi me faire ce sourire
Qui tournerait la tête au roi ?
Si vous n'avez rien à me dire,
Pourquoi venir auprès de moi ?

Si vous n'avez rien à m'apprendre,
Pourquoi me pressez-vous la main ?
Sur le rêve angélique et tendre,
Auquel vous songez en chemin,
Si vous n'avez rien à m'apprendre,
Pourquoi me pressez-vous la main ?

Si vous voulez que je m'en aille,
Pourquoi passez-vous par ici ?
Lorsque je vous vois, je tressaille :
C'est ma joie et c'est mon souci.
Si vous voulez que je m'en aille,
Pourquoi passez-vous par ici ?

in « L'Âme en fleur (IV) », *Les Contemplations*, livre II

Vois, cette branche est rude, elle est noire, et la nue
Verse la pluie à flots sur son écorce nue ;
Mais attends que l'hiver s'en aille, et tu vas voir
Une feuille percer ces nœuds si durs pour elle,
Et tu demanderas comment un bourgeon frêle
Peut, si tendre et si vert, jaillir de ce bois noir.

Demande alors pourquoi, ma jeune bien-aimée,
Quand sur mon âme, hélas ! endurcie et fermée,
Ton souffle passe, après tant de maux expiés,
Pourquoi remonte et court ma sève évanouie,
Pourquoi mon âme en fleur et tout épanouie
Jette soudain des vers que j'effeuille à tes pieds !

C'est que tout a sa loi, le monde et la fortune ;
C'est qu'une claire nuit succède aux nuits sans lune ;
C'est que tout ici-bas a ses reflux constants ;
C'est qu'il faut l'arbre au vent et la feuille au zéphire ;
C'est qu'après le malheur m'est venu ton sourire ;
C'est que c'était l'hiver et que c'est le printemps !

7 mai 1829

in *Les Feuilles d'automne* (XXVI)

*Vere novo**

Comme le matin rit sur les roses en pleurs !
Oh ! les charmants petits amoureux qu'ont les fleurs !
Ce n'est dans les jasmins, ce n'est dans les pervenches
Qu'un éblouissement de folles ailes blanches
Qui vont, viennent, s'en vont, reviennent, se fermant,
Se rouvrant, dans un vaste et doux frémissement.
Ô printemps ! quand on songe à toutes les missives
Qui des amants rêveurs vont aux belles pensives,
À ces cœurs confiés au papier, à ce tas
De lettres que le feutre écrit au taffetas,
Aux messages d'amour, d'ivresse et de délire
Qu'on reçoit en avril et qu'en mai l'on déchire,
On croit voir s'envoler, au gré du vent joyeux,
Dans les prés, dans les bois, sur les eaux, dans les cieux,
Et rôder en tous lieux, cherchant partout une âme,
Et courir à la fleur en sortant de la femme,
Les petits morceaux blancs, chassés en tourbillons,
De tous les billets doux, devenus papillons.

Mai 1831

in « Aurore (XII) », *Les Contemplations*, livre I

À Ol.

Ô poète ! je vais dans ton âme blessée
Remuer jusqu'au fond ta profonde pensée.

Tu ne l'avais pas vue encor ; ce fut un soir,
À l'heure où dans le ciel les astres se font voir,
Qu'elle apparut soudain à tes yeux, fraîche et belle,
Dans un lieu radieux qui rayonnait moins qu'elle.
Ses cheveux pétillaient de mille diamants ;
Un orchestre tremblait à tous ses mouvements
Tandis qu'elle enivrait la foule haletante,
Blanche avec des yeux noirs, jeune, grande, éclatante.
Tout en elle était feu qui brille, ardeur qui rit.
La parole parfois tombait de son esprit
Comme un épi doré du sac de la glaneuse,
Ou sortait de sa bouche en vapeur lumineuse.
Chacun se récriait, admirant tour à tour
Son front plein de pensée éclose avant l'amour,
Son sourire entr'ouvert comme une vive aurore,
Et son ardente épaule, et, plus ardents encore,

Comme les soupiraux d'un centre étincelant,
Ses yeux où l'on voyait luire son cœur brûlant.
Elle allait et passait comme un oiseau de flamme,
Mettant sans le savoir le feu dans plus d'une âme,
Et dans les yeux fixés sur tous ses pas charmants
Jetant de toutes parts des éblouissements !

Toi, tu la contemplais n'osant approcher d'elle,
Car le baril de poudre a peur de l'étincelle.

26 mai 1837

in *Les Voix intérieures* (XII)

Oh primavera! gioventù dell'anno!
*Oh gioventù! primavera della vita!**

Ô mes lettres d'amour, de vertu, de jeunesse,
C'est donc vous! Je m'enivre encore à votre ivresse;
Je vous lis à genoux.
Souffrez que pour un jour je reprenne votre âge!
Laissez-moi me cacher, moi, l'heureux et le sage,
Pour pleurer avec vous!

J'avais donc dix-huit ans! j'étais donc plein de songes!
L'espérance en chantant me berçait de mensonges.
Un astre m'avait lui!
J'étais un dieu pour toi qu'en mon cœur seul je nomme!
J'étais donc cet enfant, hélas! devant qui l'homme
Rougit presque aujourd'hui!

* Les mots ou groupes de mots suivis d'un astérisque sont expliqués dans le lexique en fin de volume.

Ô temps de rêverie, et de force, et de grâce !
Attendre tous les soirs une robe qui passe !
Baiser un gant jeté !
Vouloir tout de la vie, amour, puissance et gloire !
Être pur, être fier, être sublime, et croire
À toute pureté !

À présent, j'ai senti, j'ai vu, je sais. – Qu'importe
Si moins d'illusions viennent ouvrir ma porte
Qui gémit en tournant !
Oh ! que cet âge ardent, qui me semblait si sombre,
À côté du bonheur qui m'abrite à son ombre,
Rayonne maintenant !

Que vous ai-je donc fait, ô mes jeunes années,
Pour m'avoir fui si vite, et vous être éloignées,
Me croyant satisfait ?
Hélas ! pour revenir m'apparaître si belles,
Quand vous ne pouvez plus me prendre sur vos ailes,
Que vous ai-je donc fait ?

Oh ! quand ce doux passé, quand cet âge sans tache,
Avec sa robe blanche où notre amour s'attache,
Revient dans nos chemins,
On s'y suspend et puis que de larmes amères
Sur les lambeaux flétris de vos jeunes chimères
Qui vous restent aux mains !

Oublions ! oublions ! Quand la jeunesse est morte,
Laissons-nous emporter par le vent qui l'emporte
À l'horizon obscur.
Rien ne reste de nous ; notre œuvre est un problème.
L'homme, fantôme errant, passe sans laisser même
Son ombre sur le mur !

Mai 1830

in *Les Feuilles d'automne* (XIV)

Nature et Panthéisme

J'aime l'araignée et j'aime l'ortie
Parce qu'on les hait ;
Et que rien n'exauce et que tout châtie
Leur morne souhait ;

Parce qu'elles sont maudites, chétives,
Noirs êtres rampants ;
Parce qu'elles sont les tristes captives
De leur guet-apens ;

Parce qu'elles sont prises dans leur œuvre ;
Ô sort ! fatals nœuds !
Parce que l'ortie est une couleuvre,
L'araignée un gueux ;

Parce qu'elles ont l'ombre des abîmes,
Parce qu'on les fuit,
Parce qu'elles sont toutes deux victimes
De la sombre nuit.

Passants, faites grâce à la plante obscure,
Au pauvre animal.
Plaignez la laideur, plaignez la piqûre,
Oh ! plaignez le mal !

Il n'est rien qui n'ait sa mélancolie ;
Tout veut un baiser.
Dans leur fauve horreur, pour peu qu'on oublie
De les écraser,

Pour peu qu'on leur jette un œil moins superbe,
Tout bas, loin du jour,
La mauvaise bête et la mauvaise herbe
Murmurent : Amour !

Juillet 1842

in « Les Luttes et les Rêves (XXVII) », *Les Contemplations*, livre III

Unité

Par-dessus l'horizon aux collines brunies,
Le soleil, cette fleur des splendeurs infinies,
Se penchait sur la terre à l'heure du couchant ;
Une humble marguerite, éclose au bord d'un champ,
Sur un mur gris, croulant parmi l'avoine folle,
Blanche, épanouissait sa candide auréole ;
Et la petite fleur, par-dessus le vieux mur,
Regardait fixement, dans l'éternel azur,
Le grand astre épanchant sa lumière immortelle.
– Et moi, j'ai des rayons aussi ! – lui disait-elle.

Granville, juillet 1836

in « Aurore (XXV) », *Les Contemplations*, livre I

Le poète s'en va dans les champs ; il admire,
Il adore ; il écoute en lui-même une lyre ;
Et le voyant venir, les fleurs, toutes les fleurs,
Celles qui des rubis font pâlir les couleurs,
Celles qui des paons même éclipseraient les queues,
Les petites fleurs d'or, les petites fleurs bleues,
Prennent, pour l'accueillir agitant leurs bouquets,
De petits airs penchés ou de grands airs coquets,
Et, familièrement, car cela sied aux belles :
« Tiens ! c'est notre amoureux qui passe ! »
[disent-elles.
Et, pleins de jour et d'ombre et de confuses voix,
Les grands arbres profonds qui vivent dans les bois,
Tous ces vieillards, les ifs, les tilleuls, les érables,
Les saules tout ridés, les chênes vénérables,
L'orme au branchage noir, de mousse appesanti,
Comme les ulémas quand paraît le muphti,

Lui font de grands saluts et courbent jusqu'à terre
Leurs têtes de feuillée et leurs barbes de lierre,
Contemplent de son front la sereine lueur,
Et murmurent tout bas : C'est lui ! c'est le rêveur !

Les Roches, juin 1831

in « Aurore (II) », *Les Contemplations*, livre I

Oh ! les charmants oiseaux joyeux !
Comme ils maraudent ! comme ils pillent !
Où va ce tas de petits gueux
Que tous les souffles éparpillent ?

Ils s'en vont au clair firmament ;
Leur voix raille, leur bec lutine ;
Ils font rire éternellement
La grande nature enfantine.

Ils vont aux bois, ils vont aux champs,
À nos toits remplis de mensonges,
Avec des cris, avec des chants,
Passant, fuyant, pareils aux songes.

Comme ils sont près du Dieu vivant
Et de l'aurore fraîche et douce,
Ces gais bohémiens du vent
N'amassent rien qu'un peu de mousse.

Toute la terre est sous leurs yeux;
Dieu met, pour ces purs êtres frêles,
Un triomphe mystérieux
Dans la légèreté des ailes.

Atteignent-ils les astres? Non.
Mais ils montent jusqu'aux nuages.
Vers le rêveur, leur compagnon,
Ils vont, familiers et sauvages.

La grâce est tout leur mouvement,
La volupté toute leur vie;
Pendant qu'ils volent vaguement
La feuillée immense est ravie.

L'oiseau va moins haut que Psyché.
C'est l'ivresse dans la nuée.
Vénus semble l'avoir lâché
De sa ceinture dénouée.

Il habite le demi-jour ;
Le plaisir est sa loi secrète.
C'est du temple que sort l'amour,
C'est du nid que vient l'amourette.

in *Les Chansons des rues et des bois*, livre II, chap. II, I

Le Nid

C'est l'abbé qui fait l'église;
C'est le roi qui fait la tour;
Qui fait l'hiver? C'est la bise.
Qui fait le nid? C'est l'amour.

Les églises sont sublimes,
La tour monte dans les cieux,
L'hiver pour trône a les cimes;
Mais le nid chante et vaut mieux.

Le nid, que l'aube visite,
Ne voit ni deuils, ni combats;
Le nid est la réussite
La meilleure d'ici-bas.

Là, pas d'or et point de marbre;
De la mousse, un coin étroit;
C'est un grenier dans un arbre,
C'est un bouquet sur un toit.

[…]
Mais entre tous les prodiges
Qu'entassent dieux et démons,
Ouvrant l'abîme aux vertiges,
Heurtant les foudres aux monts,

C'est l'effort le plus superbe,
C'est le travail le plus beau,
De faire tordre un brin d'herbe
Au bec d'un petit oiseau.

En vain rampe la couleuvre ;
L'amour arrange et bénit
Deux ailes sur la même œuvre,
Deux cœurs dans le même nid.

Ce nid où l'amour se pose,
Voilà le but du ciel bleu ;
Et pour la plus douce chose
Il faut le plus puissant dieu.

in *Les Chansons des rues et des bois*, livre I, chap. VI, XI

La Méridienne du lion

Le lion dort, seul sous sa voûte.
Il dort de ce puissant sommeil
De la sieste, auquel s'ajoute,
Comme un poids sombre, le soleil.

Les déserts, qui de loin écoutent,
Respirent ; le maître est rentré.
Car les solitudes redoutent
Ce promeneur démesuré.

Son souffle soulève son ventre ;
Son œil de brume est submergé,
Il dort sur le pavé de l'antre,
Formidablement allongé.

La paix est sur son grand visage,
Et l'oubli même, car il dort.
Il a l'altier sourcil du sage
Et l'ongle tranquille du fort.

Midi sèche l'eau des citernes;
Rien du sommeil ne le distrait;
Sa gueule ressemble aux cavernes,
Et sa crinière à la forêt.

Il entrevoit des monts difformes,
Des Ossas et des Pélions,
À travers les songes énormes
Que peuvent faire les lions.

Tout se tait sur la roche plate
Où ses pas tout à l'heure erraient.
S'il remuait sa grosse patte,
Que de mouches s'envoleraient!

in *Les Chansons des rues et des bois*, livre II, chap. III, VIII

Les enfants lisent, troupe blonde;
Ils épellent, je les entends;
Et le maître d'école gronde
Dans la lumière du printemps.

J'aperçois l'école entrouverte;
Et je rôde au bord des marais;
Toute la grande saison verte
Frissonne au loin dans les forêts.

Tout rit, tout chante; c'est la fête
De l'infini que nous voyons;
La beauté des fleurs semble faite
Avec la candeur des rayons.

J'épelle aussi moi; je me penche
Sur l'immense livre joyeux;
Ô champs, quel vers que la pervenche!
Quelle strophe que l'aigle, ô cieux!

Mais, mystère ! rien n'est sans tache.
Rien ! – Qui peut dire par quels nœuds
La végétation rattache
Le lys chaste au chardon hargneux ?

Tandis que là-bas siffle un merle,
La sarcelle, des roseaux plats,
Sort, ayant au bec une perle ;
Cette perle agonise, hélas !

C'est le poisson qui, tout à l'heure,
Poursuivait l'aragne, courant
Sur sa bleue et vague demeure,
Sinistre monde transparent.

Un coup de fusil dans la haie,
Abois d'un chien ; c'est le chasseur.
Et, pensif, je sens une plaie
Parmi toute cette douceur.

Et, sous l'herbe pressant la fange,
Triste passant de ce beau lieu,
Je songe au mal, énigme étrange,
Faute d'orthographe de Dieu.

in *Les Chansons des rues et des bois*, livre II, chap. II, IV

Je payai le pêcheur qui passa son chemin,
Et je pris cette bête horrible dans ma main;
C'était un être obscur comme l'onde en apporte,
Qui, plus grand, serait hydre, et, plus petit, cloporte;
Sans forme comme l'ombre, et, comme Dieu,
[sans nom.
Il ouvrait une bouche affreuse; un noir moignon
Sortait de son écaille; il tâchait de me mordre;
Dieu, dans l'immensité formidable de l'ordre,
Donne une place sombre à ces spectres hideux.
Il tâchait de me mordre, et nous luttions tous deux;
Ses dents cherchaient mes doigts qu'effrayait
[leur approche;
L'homme qui me l'avait vendu tourna la roche;
Comme il disparaissait, le crabe me mordit;
Je lui dis: « Vis! et sois béni, pauvre maudit! »

Et je le rejetai dans la vague profonde,
Afin qu'il allât dire à l'océan qui gronde,
Et qui sert au soleil de vase baptismal,
Que l'homme rend le bien au monstre pour le mal.

Jersey, grève d'Azette, juillet 1855

in « En marche (XXII) », *Les Contemplations*, livre V

Et la terre, agitant la ronce à sa surface,
Dit : – L'homme est mort ; c'est bien ; que veut-on
[que j'en fasse ?
Pourquoi me le rend-on ? –
Terre ! fais-en des fleurs ! des lys que l'aube arrose !
De cette bouche aux dents béantes, fais la rose
Entr'ouvrant son bouton !

Fais ruisseler ce sang dans tes sources d'eaux vives,
Et fais-le boire aux bœufs mugissants, tes convives ;
Prends ces chairs en haillons ;
Fais de ces seins bleuis sortir des violettes,
Et couvre de ces yeux que t'offrent les squelettes
L'aile des papillons.

Fais avec tous ces morts une joyeuse vie.
Fais-en le fier torrent qui gronde et qui dévie,
La mousse aux frais tapis !
Fais-en des rocs, des joncs, des fruits, des vignes mûres,
Des brises, des parfums, des bois pleins de murmures,
Des sillons pleins d'épis !

Fais-en des buissons verts, fais-en de grandes herbes !
Et qu'en ton sein profond d'où se lèvent les gerbes,
    À travers leur sommeil,
Les effroyables morts sans souffle et sans paroles
Se sentent frissonner dans toutes ces corolles
    Qui tremblent au soleil !

in « Pleurs dans la nuit (X) », « Au bord de l'infini (VI) »,
Les Contemplations, livre VI

Spectacle rassurant

Tout est lumière, tout est joie.
L'araignée au pied diligent
Attache aux tulipes de soie
Ses rondes dentelles d'argent.

La frissonnante libellule
Mire les globes de ses yeux
Dans l'étang splendide où pullule
Tout un monde mystérieux !

La rose semble, rajeunie,
S'accoupler au bouton vermeil ;
L'oiseau chante plein d'harmonie
Dans les rameaux pleins de soleil.

Sa voix bénit le Dieu de l'âme
Qui, toujours visible au cœur pur,
Fait l'aube, paupière de flamme,
Pour le ciel, prunelle d'azur !

Sous les bois, où tout bruit s'émousse,
Le faon craintif joue en rêvant ;
Dans les verts écrins de la mousse
Luit le scarabée, or vivant.

La lune au jour est tiède et pâle
Comme un joyeux convalescent ;
Tendre, elle ouvre ses yeux d'opale
D'où la douceur du ciel descend !

La giroflée avec l'abeille
Folâtre en baisant le vieux mur ;
Le chaud sillon gaîment s'éveille,
Remué par le germe obscur.

Tout vit, et se pose avec grâce,
Le rayon sur le seuil ouvert,
L'ombre qui fuit sur l'eau qui passe,
Le ciel bleu sur le coteau vert !

La plaine brille, heureuse et pure ;
Le bois jase ; l'herbe fleurit...
– Homme ! ne crains rien ! la nature
Sait le grand secret, et sourit.

1er juin 1839

in *Les Rayons et les Ombres* (XVII)

Tout, comme toi, gémit, ou chante comme moi ;
Tout parle, et maintenant homme, sais-tu pourquoi
Tout parle ? Écoute bien. C'est que vents, ondes,
[flammes,
Arbres, roseaux, rochers, tout vit ! Tout est plein d'âmes.

extrait de *Ce que dit la bouche d'ombre* in « Au bord de l'infini (XXVI) », *Les Contemplations*, livre VI

Parfois, lorsque tout dort, je m'assieds plein de joie
Sous le dôme étoilé qui sur nos fronts flamboie;
J'écoute si d'en haut il tombe quelque bruit;
Et l'heure vainement me frappe de son aile
Quand je contemple, ému, cette fête éternelle
Que le ciel rayonnant donne au monde la nuit!

Souvent alors j'ai cru que ces soleils de flamme
Dans ce monde endormi n'échauffaient que mon âme;
Qu'à les comprendre seul j'étais prédestiné;
Que j'étais, moi, vaine ombre obscure et taciturne,
Le roi mystérieux de la pompe nocturne;
Que le ciel pour moi seul s'était illuminé!

Novembre 1829

in *Les Feuilles d'automne* (XXI)

L'aurore s'allume,
L'ombre épaisse fuit;
Le rêve et la brume
Vont où va la nuit;
Paupières et roses
S'ouvrent demi-closes;
Du réveil des choses
On entend le bruit.

Tout chante et murmure,
Tout parle à la fois,
Fumée et verdure,
Les nids et les toits;
Le vent parle aux chênes,
L'eau parle aux fontaines;
Toutes les haleines
Deviennent des voix!

Tout reprend son âme,
L'enfant son hochet,
Le foyer sa flamme,
Le luth son archet ;
Folie ou démence,
Dans le monde immense,
Chacun recommence
Ce qu'il ébauchait.

Qu'on pense ou qu'on aime,
Sans cesse agité,
Vers un but suprême,
Tout vole emporté ;
L'esquif cherche un môle,
L'abeille un vieux saule,
La boussole un pôle,
Moi la vérité !

in « L'aurore s'allume (I) », *Les Chants du crépuscule* (XX)

La tombe dit à la rose :
–Des pleurs dont l'aube t'arrose
Que fais-tu, fleur des amours ?
La rose dit à la tombe :
–Que fais-tu de ce qui tombe
Dans ton gouffre ouvert toujours ?

La rose dit : –Tombeau sombre,
De ces pleurs je fais dans l'ombre
Un parfum d'ambre et de miel.
La tombe dit : –Fleur plaintive,
De chaque âme qui m'arrive
Je fais un ange du ciel !

3 juin 1837

in *Les Voix intérieures* (XXXI)

J'eus toujours de l'amour pour les choses ailées.
Lorsque j'étais enfant, j'allais sous les feuillées,
J'y prenais dans les nids de tout petits oiseaux.
D'abord je leur faisais des cages de roseaux
Où je les élevais parmi des mousses vertes.
Plus tard je leur laissais les fenêtres ouvertes.
Ils ne s'envolaient point ; ou, s'ils fuyaient aux bois,
Quand je les rappelais ils venaient à ma voix.
Une colombe et moi longtemps nous nous aimâmes.
Maintenant je sais l'art d'apprivoiser les âmes.

12 avril 1840

in *Les Rayons et les Ombres* (XXXVII)

Amour paternel

Lorsque l'enfant paraît, le cercle de famille
Applaudit à grands cris ; son doux regard qui brille
Fait briller tous les yeux,
Et les plus tristes fronts, les plus souillés peut-être,
Se dérident soudain à voir l'enfant paraître,
Innocent et joyeux.

[...]
Enfant, vous êtes l'aube et mon âme est la plaine
Qui des plus douces fleurs embaume son haleine
Quand vous la respirez ;
Mon âme est la forêt dont les sombres ramures
S'emplissent pour vous seul de suaves murmures
Et de rayons dorés !

Car vos beaux yeux sont pleins de douceurs infinies,
Car vos petites mains, joyeuses et bénies,
N'ont point mal fait encor;
Jamais vos jeunes pas n'ont touché notre fange,
Tête sacrée ! enfant aux cheveux blonds ! bel ange
À l'auréole d'or !

Vous êtes parmi nous la colombe de l'arche.
Vos pieds tendres et purs n'ont point l'âge où
[l'on marche;
Vos ailes sont d'azur.
Sans le comprendre encor vous regardez le monde.
Double virginité ! corps où rien n'est immonde,
Âme où rien n'est impur !

Il est si beau, l'enfant, avec son doux sourire,
Sa douce bonne foi, sa voix qui veut tout dire,
　　　　Ses pleurs vite apaisés,
Laissant errer sa vue étonnée et ravie,
Offrant de toutes parts sa jeune âme à la vie
　　　　Et sa bouche aux baisers !

Seigneur ! préservez-moi, préservez ceux que j'aime,
Frères, parents, amis, et mes ennemis même
　　　　Dans le mal triomphants,
De jamais voir, Seigneur ! l'été sans fleurs vermeilles,
La cage sans oiseaux, la ruche sans abeilles,
　　　　La maison sans enfants !

18 mai 1830

in *Les Feuilles d'automne* (XIX)

Jeanne songeait, sur l'herbe assise, grave et rose;
Je m'approchai: – Dis-moi si tu veux quelque chose,
Jeanne? – car j'obéis à ces charmants amours,
Je les guette, et je cherche à comprendre toujours
Tout ce qui peut passer par ces divines têtes.
Jeanne m'a répondu: – Je voudrais voir des bêtes.
Alors je lui montrai dans l'herbe une fourmi.
Vois! – Mais Jeanne ne fut contente qu'à demi.
– Non, des bêtes, c'est gros, me dit-elle.

Leur rêve,
C'est le grand. L'océan les attire à sa grève,
Les berçant de son chant rauque, et les captivant
Par l'ombre, et par la fuite effrayante du vent;
Ils aiment l'épouvante, il leur faut le prodige.
– Je n'ai pas d'éléphant sous la main, répondis-je.
Veux-tu quelque autre chose? ô Jeanne, on te le doit!
Parle. – Alors Jeanne au ciel leva son petit doigt.
– Ça, dit-elle. – C'était l'heure où le soir commence.
Je vis à l'horizon surgir la lune immense.

in *L'Art d'être grand-père*

Jeanne était au pain sec dans le cabinet noir,
Pour un crime quelconque, et, manquant au devoir,
J'allai voir la proscrite en pleine forfaiture,
Et lui glissai dans l'ombre un pot de confiture
Contraire aux lois. Tous ceux sur qui, dans ma cité,
Repose le salut de la société,
S'indignèrent, et Jeanne a dit d'une voix douce :
– Je ne toucherai plus mon nez avec mon pouce ;
Je ne me ferai plus griffer par le minet.
Mais on s'est récrié : – Cette enfant vous connaît ;
Elle sait à quel point vous êtes faible et lâche.
Elle vous voit toujours rire quand on se fâche.
Pas de gouvernement possible. À chaque instant
L'ordre est troublé par vous ; le pouvoir se détend ;
Plus de règle. L'enfant n'a plus rien qui l'arrête.
Vous démolissez tout. – Et j'ai baissé la tête,
Et j'ai dit : – Je n'ai rien à répondre à cela,
J'ai tort. Oui, c'est avec ces indulgences-là
Qu'on a toujours conduit les peuples à leur perte.
Qu'on me mette au pain sec. – Vous le méritez, certes,

On vous y mettra. – Jeanne alors, dans son coin noir,
M'a dit tout bas, levant ses yeux si beaux à voir,
Pleins de l'autorité des douces créatures :
– Eh bien, moi, je t'irai porter des confitures.

in *L'Art d'être grand-père*

Elle avait pris ce pli dans son âge enfantin
De venir dans ma chambre un peu chaque matin ;
Je l'attendais ainsi qu'un rayon qu'on espère ;
Elle entrait, et disait : « Bonjour, mon petit père » ;
Prenait ma plume, ouvrait mes livres, s'asseyait
Sur mon lit, dérangeait mes papiers, et riait,
Puis soudain s'en allait comme un oiseau qui passe.
Alors, je reprenais, la tête un peu moins lasse,
Mon œuvre interrompue, et, tout en écrivant,
Parmi mes manuscrits je rencontrais souvent
Quelque arabesque folle et qu'elle avait tracée,
Et mainte page blanche entre ses mains froissée
Où, je ne sais comment, venaient mes plus doux vers.
Elle aimait Dieu, les fleurs, les astres, les prés verts,
Et c'était un esprit avant d'être une femme.
Son regard reflétait la clarté de son âme.
Elle me consultait sur tout à tous moments.
Oh ! que de soirs d'hiver radieux et charmants
Passés à raisonner langue, histoire et grammaire,
Mes quatre enfants groupés sur mes genoux, leur mère

Tout près, quelques amis causant au coin du feu !
J'appelais cette vie être content de peu !
Et dire qu'elle est morte ! hélas ! que Dieu m'assiste !
Je n'étais jamais gai quand je la sentais triste ;
J'étais morne au milieu du bal le plus joyeux
Si j'avais, en partant, vu quelque ombre en ses yeux.

Novembre 1846, jour des morts

in « Pauca meae (v) », *Les Contemplations*, livre IV

Mes deux filles

Dans le frais clair-obscur du soir charmant
[qui tombe,
L'une pareille au cygne et l'autre à la colombe,
Belles, et toutes deux joyeuses, ô douceur !
Voyez, la grande sœur et la petite sœur
Sont assises au seuil du jardin, et sur elles
Un bouquet d'œillets blancs aux longues tiges frêles,
Dans une urne de marbre agité par le vent,
Se penche, et les regarde, immobile et vivant,
Et frissonne dans l'ombre, et semble, au bord du vase,
Un vol de papillons arrêté dans l'extase.

Juin 1842

in « Aurore (III) », *Les Contemplations*, livre I

À des oiseaux envolés

Enfants ! – Oh ! revenez ! Tout à l'heure, imprudent,
Je vous ai de ma chambre exilés en grondant,
Rauque et tout hérissé de paroles moroses.
Et qu'aviez-vous donc fait, bandits aux lèvres roses ?
Quel crime ? quel exploit ? quel forfait insensé ?
Quel vase du Japon en mille éclats brisé ?
Quel vieux portrait crevé ? quel beau missel gothique
Enrichi par vos mains d'un dessin fantastique ?
Non, rien de tout cela. Vous aviez seulement,
Ce matin, restés seuls dans ma chambre un moment,
Pris, parmi ces papiers que mon esprit colore,
Quelques vers, groupe informe, embryons près
[d'éclore,
Puis vous les aviez mis, prompts à vous accorder,
Dans le feu, pour jouer, pour voir, pour regarder
Dans une cendre noire errer des étincelles,
Comme brillent sur l'eau de nocturnes nacelles,
Ou comme, de fenêtre en fenêtre, on peut voir
Des lumières courir dans les maisons le soir.

Voilà tout. Vous jouiez et vous croyiez bien faire.
[...]
Moi, je vous ai grondés. Tort grave et ridicule!
Nains charmants que n'eût pas voulu fâcher Hercule,
Moi, je vous ai fait peur. J'ai, rêveur triste et dur,
Reculé brusquement ma chaise jusqu'au mur,
Et, vous jetant ces noms dont l'envieux vous nomme,
J'ai dit: – Allez-vous-en! laissez-moi seul! – Pauvre
[homme!
Seul! le beau résultat! le beau triomphe! seul!
Comme on oublie un mort roulé dans son linceul,
Vous m'avez laissé là, l'œil fixé sur ma porte,
Hautain, grave et puni. – Mais vous, que vous importe!
Vous avez retrouvé dehors la liberté,
Le grand air, le beau parc, le gazon souhaité,
L'eau courante où l'on jette une herbe à l'aventure,
Le ciel bleu, le printemps, la sereine nature,
Ce livre des oiseaux et des bohémiens,
Ce poème de Dieu qui vaut mieux que les miens,
Où l'enfant peut cueillir la fleur, strophe vivante,
Sans qu'une grosse voix tout à coup l'épouvante!

Moi, je suis resté seul, toute joie ayant fui,
Seul avec ce pédant qu'on appelle l'ennui.
[…]
Espiègles radieux que j'ai fait envoler,
Oh ! revenez ici chanter, danser, parler,
Tantôt, groupe folâtre, ouvrir un gros volume,
Tantôt courir, pousser mon bras qui tient ma plume,
Et faire dans le vers que je viens retoucher
Saillir soudain un angle aigu comme un clocher
Qui perce tout à coup un horizon de plaines.
Mon âme se réchauffe à vos douces haleines.
Revenez près de moi, souriant de plaisir,
Bruire et gazouiller, et sans peur obscurcir
Le vieux livre où je lis de vos ombres penchées,
Folles têtes d'enfants ! gaîtés effarouchées !
Et sur mon banc sculpté jeter tous à la fois
Vos jouets anguleux qui déchirent le bois !
[…]

in *Les Voix intérieures* (XXII)

Venez, enfants ! – À vous jardins, cours, escaliers !
Ébranlez et planchers, et plafonds, et piliers !
Que le jour s'achève ou renaisse,
Courez et bourdonnez comme l'abeille aux champs !
Ma joie et mon bonheur et mon âme et mes chants
Iront où vous irez, jeunesse !

[…]

extrait de *Laissez – Tous ces enfants sont bien là* in *Les Feuilles d'automne* (XV)

Quand nous habitions tous ensemble
Sur nos collines d'autrefois,
Où l'eau court, où le buisson tremble,
Dans la maison qui touche aux bois,

Elle avait dix ans, et moi trente ;
J'étais pour elle l'univers.
Oh ! comme l'herbe est odorante
Sous les arbres profonds et verts !

Elle faisait mon sort prospère,
Mon travail léger, mon ciel bleu.
Lorsqu'elle me disait : Mon père,
Tout mon cœur s'écriait : Mon Dieu !

À travers mes songes sans nombre,
J'écoutais son parler joyeux,
Et mon front s'éclairait dans l'ombre
À la lumière de ses yeux.

Elle avait l'air d'une princesse
Quand je la tenais par la main ;
Elle cherchait des fleurs sans cesse
Et des pauvres dans le chemin.

Elle donnait comme on dérobe,
En se cachant aux yeux de tous.
Oh ! la belle petite robe
Qu'elle avait, vous rappelez-vous ?

Le soir, auprès de ma bougie,
Elle jasait à petit bruit,
Tandis qu'à la vitre rougie
Heurtaient les papillons de nuit.

Les anges se miraient en elle.
Que son bonjour était charmant !
Le ciel mettait dans sa prunelle
Ce regard qui jamais ne ment.

Oh ! je l'avais, si jeune encore,
Vue apparaître en mon destin !
C'était l'enfant de mon aurore,
Et mon étoile du matin !

Quand la lune claire et sereine
Brillait aux cieux, dans ces beaux mois,
Comme nous allions dans la plaine !
Comme nous courions dans les bois !

Puis, vers la lumière isolée
Étoilant le logis obscur,
Nous revenions par la vallée
En tournant le coin du vieux mur ;

Nous revenions, cœurs pleins de flamme,
En parlant des splendeurs du ciel.
Je composais cette jeune âme
Comme l'abeille fait son miel.

Doux ange aux candides pensées,
Elle était gaie en arrivant… –
Toutes ces choses sont passées
Comme l'ombre et comme le vent !

Villequier, 4 septembre 1844

in « Pauca meae (VI) », *Les Contemplations*, livre IV

Les Enfants pauvres

Prenez garde à ce petit être ;
Il est bien grand, il contient Dieu.
Les enfants sont, avant de naître,
Des lumières dans le ciel bleu.

Dieu nous les offre en sa largesse ;
Ils viennent ; Dieu nous en fait don.
Dans leur rire il met sa sagesse
Et dans leur baiser son pardon.

Leur douce clarté nous effleure.
Hélas ! le bonheur est leur droit.
S'ils ont faim, le paradis pleure,
Et le ciel tremble, s'ils ont froid.

La misère de l'innocence
Accuse l'homme vicieux.
L'homme tient l'ange en sa puissance.
Oh ! quel tonnerre au fond des cieux,

Quand Dieu, cherchant ces êtres frêles
Que dans l'ombre où nous sommeillons
Il nous envoie avec des ailes,
Les retrouve avec des haillons !

in *L'Art d'être grand-père*

À une jeune fille

Vous qui ne savez pas combien l'enfance est belle,
Enfant ! n'enviez point notre âge de douleurs,
Où le cœur tour à tour est esclave et rebelle,
Où le rire est souvent plus triste que vos pleurs.

Votre âge insouciant est si doux qu'on l'oublie !
Il passe, comme un souffle au vaste champ des airs,
Comme une voix joyeuse en fuyant affaiblie,
    Comme un alcyon sur les mers.

Oh ! ne vous hâtez point de mûrir vos pensées !
Jouissez du matin, jouissez du printemps ;
Vos heures sont des fleurs l'une à l'autre enlacées :
Ne les effeuillez pas plus vite que le temps.

Laissez venir les ans ! Le destin vous dévoue,
Comme nous, aux regrets, à la fausse amitié,
À ces maux sans espoir que l'orgueil désavoue,
    À ces plaisirs qui font pitié ;

Riez pourtant ! du sort ignorez la puissance ;
Riez ! n'attristez pas votre front gracieux,
Votre œil d'azur, miroir de paix et d'innocence,
Qui révèle votre âme et réfléchit les cieux !

Février 1825

in *Odes et Ballades*, livre V, ode XVII

[...]

Un brave ogre des bois, natif de Moscovie,
Était fort amoureux d'une fée, et l'envie
Qu'il avait d'épouser cette dame s'accrut
Au point de rendre fou ce pauvre cœur tout brut;
L'ogre un beau jour d'hiver peigne sa peau velue,
Se présente au palais de la fée, et salue,
Et s'annonce à l'huissier comme prince Ogrousky.
La fée avait un fils, on ne sait pas de qui.
Elle était ce jour-là sortie, et quant au mioche,
Bel enfant blond nourri de crème et de brioche,
Don fait par quelque Ulysse à cette Calypso,
Il était sous la porte et jouait au cerceau.
On laissa l'ogre et lui tout seuls dans l'antichambre.
Comment passer le temps quand il neige en décembre,
Et quand on n'a personne avec qui dire un mot?
L'ogre se mit alors à croquer le marmot.
C'est très simple. Pourtant c'est aller un peu vite,
Même lorsqu'on est ogre et qu'on est moscovite,
Que de gober ainsi les mioches du prochain.

Le bâillement d'un ogre est frère de la faim.
Quand la dame rentra, plus d'enfant. On s'informe.
La fée avise l'ogre avec sa bouche énorme.
As-tu vu, cria-t-elle, un bel enfant que j'ai ?
Le bon ogre naïf lui dit : Je l'ai mangé.
Or, c'était maladroit. Vous qui cherchez à plaire,
Jugez ce que devint l'ogre devant la mère
Furieuse qu'il eût soupé de son dauphin.

Que l'exemple vous serve ; aimez, mais soyez fin ;
Adorez votre belle, et soyez plein d'astuce ;
N'allez pas lui manger, comme cet ogre russe,
Son enfant, ou marcher sur la patte à son chien.

extrait de *Bons conseils aux amants* in *Toute la lyre*

Ce siècle avait deux ans. Rome remplaçait Sparte,
Déjà Napoléon perçait sous Bonaparte,
Et du premier consul déjà, par maint endroit,
Le front de l'empereur brisait le masque étroit.
Alors dans Besançon, vieille ville espagnole,
Jeté comme la graine au gré de l'air qui vole,
Naquit d'un sang breton et lorrain à la fois
Un enfant sans couleur, sans regard et sans voix;
Si débile, qu'il fut, ainsi qu'une chimère,
Abandonné de tous, excepté de sa mère,
Et que son cou ployé comme un frêle roseau
Fit faire en même temps sa bière et son berceau.
Cet enfant que la vie effaçait de son livre,
Et qui n'avait pas même un lendemain à vivre,
C'est moi.

– Je vous dirai peut-être quelque jour
Quel lait pur, que de soins, que de vœux, que d'amour,
Prodigués pour ma vie en naissant condamnée,
M'ont fait deux fois l'enfant de ma mère obstinée :
Ange qui sur trois fils attachés à ses pas
Épandait son amour et ne mesurait pas !

Oh ! l'amour d'une mère ! amour que nul n'oublie !
Pain merveilleux qu'un dieu partage et multiplie !
Table toujours servie au paternel foyer !
Chacun en a sa part et tous l'ont tout entier !
[...]

in *Les Feuilles d'automne* (I)

Tristesse et mort

Trois ans après

Il est temps que je me repose ;
Je suis terrassé par le sort.
Ne me parlez pas d'autre chose
Que des ténèbres où l'on dort !

Que veut-on que je recommence ?
Je ne demande désormais
À la création immense
Qu'un peu de silence et de paix !

Pourquoi m'appelez-vous encore ?
J'ai fait ma tâche et mon devoir.
Qui travaillait avant l'aurore,
Peut s'en aller avant le soir.

À vingt ans, deuil et solitude !
Mes yeux, baissés vers le gazon,
Perdirent la douce habitude
De voir ma mère à la maison.

Elle nous quitta pour la tombe ;
Et vous savez bien qu'aujourd'hui
Je cherche, en cette nuit qui tombe,
Un autre ange qui s'est enfui !

Vous savez que je désespère,
Que ma force en vain se défend,
Et que je souffre comme père,
Moi qui souffris tant comme enfant !

Mon œuvre n'est pas terminée,
Dites-vous. Comme Adam banni,
Je regarde ma destinée
Et je vois bien que j'ai fini.

L'humble enfant que Dieu m'a ravie
Rien qu'en m'aimant savait m'aider ;
C'était le bonheur de ma vie
De voir ses yeux me regarder.

Si ce Dieu n'a pas voulu clore
L'œuvre qu'il me fit commencer,
S'il veut que je travaille encore,
Il n'avait qu'à me la laisser !

Il n'avait qu'à me laisser vivre
Avec ma fille à mes côtés,
Dans cette extase où je m'enivre
De mystérieuses clartés !
[…]

in « Pauca meae (III) », *Les Contemplations*, livre IV

Oh ! je fus comme fou dans le premier moment,
Hélas ! et je pleurai trois jours amèrement.
Vous tous à qui Dieu prit votre chère espérance,
Pères, mères, dont l'âme a souffert ma souffrance,
Tout ce que j'éprouvais, l'avez-vous éprouvé ?
Je voulais me briser le front sur le pavé ;
Puis je me révoltais, et, par moments, terrible,
Je fixais mes regards sur cette chose horrible,
Et je n'y croyais pas, et je m'écriais : Non !
– Est-ce que Dieu permet de ces malheurs sans nom
Qui font que dans le cœur le désespoir se lève ? –
Il me semblait que tout n'était qu'un affreux rêve,
Qu'elle ne pouvait pas m'avoir ainsi quitté,
Que je l'entendais rire en la chambre à côté,
Que c'était impossible enfin qu'elle fût morte,
Et que j'allais la voir entrer par cette porte !

Oh ! que de fois j'ai dit : Silence ! elle a parlé !
Tenez ! voici le bruit de sa main sur la clé !
Attendez ! elle vient ! laissez-moi, que j'écoute !
Car elle est quelque part dans la maison sans doute !

Jersey, Marine-Terrace, 4 septembre 1852

in « Pauca meae (IV) », *Les Contemplations*, livre IV

On vit, on parle, on a le ciel et les nuages
Sur la tête ; on se plaît aux livres des vieux sages ;
On lit Virgile et Dante ; on va joyeusement
En voiture publique à quelque endroit charmant,
En riant aux éclats de l'auberge et du gîte ;
Le regard d'une femme en passant vous agite ;
On aime, on est aimé, bonheur qui manque aux rois !
On écoute le chant des oiseaux dans les bois ;
Le matin, on s'éveille, et toute une famille
Vous embrasse, une mère, une sœur, une fille !
On déjeune en lisant son journal. Tout le jour
On mêle à sa pensée espoir, travail, amour ;
La vie arrive avec ses passions troublées ;
On jette sa parole aux sombres assemblées ;
Devant le but qu'on veut et le sort qui vous prend,
On se sent faible et fort, on est petit et grand ;

On est flot dans la foule, âme dans la tempête;
Tout vient et passe; on est en deuil, on est en fête;
On arrive, on recule, on lutte avec effort… –
Puis, le vaste et profond silence de la mort!

11 juillet 1846, en revenant du cimetière

in « Pauca meae (XI) », *Les Contemplations*, livre IV

Demain, dès l'aube, à l'heure où blanchit
[la campagne,
Je partirai. Vois-tu, je sais que tu m'attends.
J'irai par la forêt, j'irai par la montagne.
Je ne puis demeurer loin de toi plus longtemps.

Je marcherai les yeux fixés sur mes pensées,
Sans rien voir au dehors, sans entendre aucun bruit,
Seul, inconnu, le dos courbé, les mains croisées,
Triste, et le jour pour moi sera comme la nuit.

Je ne regarderai ni l'or du soir qui tombe,
Ni les voiles au loin descendant vers Harfleur,
Et quand j'arriverai, je mettrai sur ta tombe
Un bouquet de houx vert et de bruyère en fleur.

3 septembre 1847

in « Pauca meae (XIV) », *Les Contemplations*, livre IV

*Oceano nox**

Saint-Valery-sur-Somme

Oh ! combien de marins, combien de capitaines
Qui sont partis joyeux pour des courses lointaines,
Dans ce morne horizon se sont évanouis !
Combien ont disparu, dure et triste fortune !
Dans une mer sans fond, par une nuit sans lune,
Sous l'aveugle océan à jamais enfouis !

Combien de patrons morts avec leurs équipages !
L'ouragan de leur vie a pris toutes les pages,
Et d'un souffle il a tout dispersé sur les flots !
Nul ne saura leur fin dans l'abîme plongée.
Chaque vague en passant d'un butin s'est chargée ;
L'une a saisi l'esquif, l'autre les matelots !

Nul ne sait votre sort, pauvres têtes perdues !
Vous roulez à travers les sombres étendues,
Heurtant de vos fronts morts des écueils inconnus.
Oh ! que de vieux parents, qui n'avaient plus
[qu'un rêve,

Sont morts en attendant tous les jours sur la grève
Ceux qui ne sont pas revenus !

On s'entretient de vous parfois dans les veillées.
Maint joyeux cercle, assis sur des ancres rouillées,
Mêle encor quelque temps vos noms d'ombre couverts
Aux rires, aux refrains, aux récits d'aventures,
Aux baisers qu'on dérobe à vos belles futures,
Tandis que vous dormez dans les goémons verts !

On demande : – Où sont-ils ? sont-ils rois
[dans quelque île ?
Nous ont-ils délaissés pour un bord plus fertile ? –
Puis votre souvenir même est enseveli.
Le corps se perd dans l'eau, le nom dans la mémoire.
Le temps, qui sur toute ombre en verse une plus noire,
Sur le sombre océan jette le sombre oubli.

Bientôt des yeux de tous votre ombre est disparue.
L'un n'a-t-il pas sa barque et l'autre sa charrue ?
Seules, durant ces nuits où l'orage est vainqueur,
Vos veuves aux fronts blancs, lasses de vous attendre,

Parlent encor de vous en remuant la cendre
De leur foyer et de leur cœur !

Et quand la tombe enfin a fermé leur paupière,
Rien ne sait plus vos noms, pas même une humble pierre
Dans l'étroit cimetière où l'écho nous répond,
Pas même un saule vert qui s'effeuille à l'automne,
Pas même la chanson naïve et monotone
Que chante un mendiant à l'angle d'un vieux pont !

Où sont-ils, les marins sombrés dans les nuits noires ?
Ô flots, que vous avez de lugubres histoires !
Flots profonds, redoutés des mères à genoux !
Vous vous les racontez en montant les marées,
Et c'est ce qui vous fait ces voix désespérées
Que vous avez le soir quand vous venez vers nous !

Juillet 1836

in *Les Rayons et les Ombres* (XLII)

Mors

Je vis cette faucheuse. Elle était dans son champ.
Elle allait à grands pas moissonnant et fauchant,
Noir squelette laissant passer le crépuscule.
Dans l'ombre où l'on dirait que tout tremble et recule,
L'homme suivait des yeux les lueurs de la faux.
Et les triomphateurs sous les arcs triomphaux
Tombaient ; elle changeait en désert Babylone,
Le trône en échafaud et l'échafaud en trône,
Les roses en fumier, les enfants en oiseaux,
L'or en cendre, et les yeux des mères en ruisseaux.
Et les femmes criaient : – Rends-nous ce petit être.
Pour le faire mourir, pourquoi l'avoir fait naître ? –

Ce n'était qu'un sanglot sur terre, en haut, en bas ;
Des mains aux doigts osseux sortaient des noirs
[grabats ;

Un vent froid bruissait dans les linceuls sans nombre ;
Les peuples éperdus semblaient sous la faux sombre
Un troupeau frissonnant qui dans l'ombre s'enfuit ;
Tout était sous ses pieds deuil, épouvante et nuit.
Derrière elle, le front baigné de douces flammes,
Un ange souriant portait la gerbe d'âmes.

Mars 1854

in « Pauca meae (XVI) », *Les Contemplations*, livre IV

*Dolorosæ**

Mère, voilà douze ans que notre fille est morte ;
Et depuis, moi le père et vous la femme forte,
Nous n'avons pas été, Dieu le sait, un seul jour
Sans parfumer son nom de prière et d'amour.
Nous avons pris la sombre et charmante habitude
De voir son ombre vivre en notre solitude,
De la sentir passer et de l'entendre errer,
Et nous sommes restés à genoux à pleurer.
Nous avons persisté dans cette douleur douce,
Et nous vivons penchés sur ce cher nid de mousse
Emporté dans l'orage avec les deux oiseaux.
Mère, nous n'avons pas plié, quoique roseaux,
Ni perdu la bonté vis-à-vis l'un de l'autre,
Ni demandé la fin de mon deuil et du vôtre
À cette lâcheté qu'on appelle l'oubli.
Oui, depuis ce jour triste où pour nous ont pâli
Les cieux, les champs, les fleurs, l'étoile, l'aube pure,
Et toutes les splendeurs de la sombre nature,
Avec les trois enfants qui nous restent, trésor

De courage et d'amour que Dieu nous laisse encore,
Nous avons essuyé des fortunes diverses,
Ce qu'on nomme malheur, adversité, traverses,
Sans trembler, sans fléchir, sans haïr les écueils,
Donnant aux deuils du cœur, à l'absence, aux cercueils,
Aux souffrances dont saigne ou l'âme ou la famille,
Aux êtres chers enfuis ou morts, à notre fille,
Aux vieux parents repris par un monde meilleur,
Nos pleurs, et le sourire à toute autre douleur.

14 juillet 1855

in « En marche (XII) », *Les Contemplations*, livre V

Le militant humaniste et social

Le pesant chariot porte une énorme pierre;
Le timonier, suant du mors à la croupière,
Tire, et le roulier fouette, et le pavé glissant
Monte, et le cheval triste a le poitrail en sang.
Il tire, traîne, geint, tire encore et s'arrête;
Le fouet noir tourbillonne au-dessus de sa tête;
C'est lundi; l'homme hier buvait aux Porcherons*
Un vin plein de fureur, de cris et de jurons;
Oh! quelle est donc la loi formidable qui livre
L'être à l'être, et la bête effarée à l'homme ivre!
L'animal éperdu ne peut plus faire un pas;
Il sent l'ombre sur lui peser; il ne sait pas,
Sous le bloc qui l'écrase et le fouet qui l'assomme,
Ce que lui veut la pierre et ce que lui veut l'homme.
Et le roulier n'est plus qu'un orage de coups
Tombant sur ce forçat qui traîne les licous,
Qui souffre et ne connaît ni repos ni dimanche.
Si la corde se casse, il frappe avec le manche,
Et, si le fouet se casse, il frappe avec le pied;
Et le cheval, tremblant, hagard, estropié,

Baisse son cou lugubre et sa tête égarée;
On entend, sous les coups de la botte ferrée,
Sonner le ventre nu du pauvre être muet!
Il râle; tout à l'heure encore il remuait;
Mais il ne bouge plus et sa force est finie.
Et les coups furieux pleuvent; son agonie
Tente un dernier effort; son pied fait un écart,
Il tombe, et le voilà brisé sous le brancard;
Et, dans l'ombre, pendant que son bourreau redouble,
Il regarde Quelqu'un de sa prunelle trouble;
Et l'on voit lentement s'éteindre, humble et terni,
Son œil plein de stupeurs sombres de l'infini,
Où luit vaguement l'âme effrayante des choses.
Hélas!

extrait de *Melancholia* in « Les Luttes et les Rêves (II) »,
Les Contemplations, livre III

Où vont tous ces enfants dont pas un seul ne rit?
Ces doux êtres pensifs que la fièvre maigrit?
Ces filles de huit ans qu'on voit cheminer seules?
Ils s'en vont travailler quinze heures sous des meules;
Ils vont, de l'aube au soir, faire éternellement
Dans la même prison le même mouvement.
Accroupis sous les dents d'une machine sombre,
Monstre hideux qui mâche on ne sait quoi dans l'ombre,
Innocents dans un bagne, anges dans un enfer,
Ils travaillent. Tout est d'airain, tout est de fer.
Jamais on ne s'arrête et jamais on ne joue.
Aussi quelle pâleur! la cendre est sur leur joue.
Il fait à peine jour, ils sont déjà bien las.
Ils ne comprennent rien à leur destin, hélas!
Ils semblent dire à Dieu: «Petits comme nous sommes,
Notre père, voyez ce que nous font les hommes!»
Ô servitude infâme imposée à l'enfant!
Rachitisme! travail dont le souffle étouffant
Défait ce qu'a fait Dieu; qui tue, œuvre insensée,
La beauté sur les fronts, dans les cœurs la pensée,

Et qui ferait – c'est là son fruit le plus certain ! –
D'Apollon un bossu, de Voltaire un crétin !
Travail mauvais qui prend l'âge tendre en sa serre,
Qui produit la richesse en créant la misère,
Qui se sert d'un enfant ainsi que d'un outil !
Progrès dont on demande : « Où va-t-il ? que veut-il ? »
Qui brise la jeunesse en fleur ! qui donne, en somme,
Une âme à la machine et la retire à l'homme !
Que ce travail, haï des mères, soit maudit !
Maudit comme le vice où l'on s'abâtardit,
Maudit comme l'opprobre et comme le blasphème !
Ô Dieu ! qu'il soit maudit au nom du travail même,
Au nom du vrai travail, sain, fécond, généreux,
Qui fait le peuple libre et qui rend l'homme heureux !

extrait de *Melancholia* in « Les Luttes et les Rêves (II) »,
Les Contemplations, livre III

Rencontre

Après avoir donné son aumône au plus jeune,
Pensif, il s'arrêta pour les voir. – Un long jeûne
Avait maigri leur joue, avait flétri leur front.
Ils s'étaient tous les quatre à terre assis en rond,
Puis, s'étant partagé, comme feraient des anges,
Un morceau de pain noir ramassé dans nos fanges,
Ils mangeaient ; mais d'un air si morne et si navré
Qu'en les voyant ainsi toute femme eût pleuré.
C'est qu'ils étaient perdus sur la terre où nous sommes,
Et tout seuls, quatre enfants, dans la foule des hommes !
– Oui, sans père ni mère ! – Et pas même un grenier.
Pas d'abri. Tous pieds nus ; excepté le dernier
Qui traînait, pauvre amour, sous son pied qui chancelle,
De vieux souliers trop grands noués d'une ficelle.
Dans des fossés, la nuit, ils dorment bien souvent.
Aussi, comme ils ont froid, le matin, en plein vent,
Quand l'arbre, frissonnant au cri de l'alouette,
Dresse sur un ciel clair sa noire silhouette !
Leurs mains rouges étaient roses quand Dieu les fit.
Le dimanche, au hameau, cherchant un vil profit,

Ils errent. Le petit, sous sa pâleur malsaine,
Chante, sans la comprendre, une chanson obscène,
Pour faire rire – hélas ! lui qui pleure en secret ! –
Quelque immonde vieillard au seuil d'un cabaret ;
Si bien que, quelquefois, du bouge qui s'égaie
Il tombe à leur faim sombre une abjecte monnaie,
Aumône de l'enfer que jette le péché,
Sou hideux sur lequel le démon a craché !
Pour l'instant, ils mangeaient derrière une broussaille,
Cachés, et plus tremblants que le faon qui tressaille,
Car souvent on les bat, on les chasse toujours !
C'est ainsi qu'innocents condamnés, tous les jours
Ils passent affamés, sous mes murs, sous les vôtres,
Et qu'ils vont au hasard, l'aîné menant les autres.
Alors, lui qui rêvait, il regarda là-haut.
Et son œil ne vit rien que l'éther calme et chaud,
Le soleil bienveillant, l'air plein d'ailes dorées,
Et la sérénité des voûtes azurées,
Et le bonheur, les cris, les rires triomphants
Qui des oiseaux du ciel tombaient sur ces enfants.

3 avril 1839

in *Les Rayons et les Ombres* (XXXI)

Le Mendiant

Un pauvre homme passait dans le givre et le vent.
Je cognai sur ma vitre ; il s'arrêta devant
Ma porte, que j'ouvris d'une façon civile.
Les ânes revenaient du marché de la ville,
Portant les paysans accroupis sur leurs bâts.
C'était le vieux qui vit dans une niche au bas
De la montée, et rêve, attendant, solitaire,
Un rayon du ciel triste, un liard de la terre,
Tendant les mains pour l'homme et les joignant
[pour Dieu.
Je lui criai : « Venez vous réchauffer un peu.
Comment vous nommez-vous ? » Il me dit : « Je me
[nomme
Le pauvre. » Je lui pris la main : « Entrez, brave homme. »
Et je lui fis donner une jatte de lait.
Le vieillard grelottait de froid ; il me parlait,
Et je lui répondais, pensif et sans l'entendre.
« Vos habits sont mouillés », dis-je, « il faut les étendre
Devant la cheminée. » Il s'approcha du feu.
Son manteau, tout mangé des vers, et jadis bleu,

Étalé largement sur la chaude fournaise,
Piqué de mille trous par la lueur de braise,
Couvrait l'âtre, et semblait un ciel noir étoilé.
Et, pendant qu'il séchait ce haillon désolé
D'où ruisselaient la pluie et l'eau des fondrières,
Je songeais que cet homme était plein de prières,
Et je regardais, sourd à ce que nous disions,
Sa bure où je voyais des constellations.

Décembre 1834

in « En marche (IX) », *Les Contemplations*, livre V

Croire, mais pas en nous

Parce qu'on a porté du pain, du linge blanc,
À quelque humble logis sous les combles tremblant
Comme le nid parmi les feuilles inquiètes ;
Parce qu'on a jeté ses restes et ses miettes
Au petit enfant maigre, au vieillard pâlissant,
Au pauvre qui contient l'éternel tout-puissant ;
Parce qu'on a laissé Dieu manger sous sa table,
On se croit vertueux, on se croit charitable !
On dit : « Je suis parfait ! louez-moi ; me voilà ! »
Et, tout en blâmant Dieu de ceci, de cela,
De ce qu'il pleut, du mal dont on le dit la cause,
Du chaud, du froid, on fait sa propre apothéose.
Le riche qui, gorgé, repu, fier, paresseux,
Laisse un peu d'or rouler de son palais sur ceux
Que le noir janvier glace et que la faim harcèle,
Ce riche-là, qui brille et donne une parcelle
De ce qu'il a de trop à qui n'a pas assez,
Et qui, pour quelques sous du pauvre ramassés,
S'admire et ferme l'œil sur sa propre misère,

S'il a le superflu, n'a pas le nécessaire :
La justice ; et le loup rit dans l'ombre en marchant
De voir qu'il se croit bon pour n'être pas méchant.
Nous bons ! nous fraternels ! ô fange et pourriture !
Mais tournez donc vos yeux vers la mère nature !
Que sommes-nous, cœurs froids où l'égoïsme bout,
Auprès de la bonté suprême éparse en tout ?
Toutes nos actions ne valent pas la rose.
[…]

in « Au bord de l'infini (v) », *Les Contemplations*, livre VI

Pour les pauvres

Qui donne au pauvre prête à Dieu.

V. H.

Dans vos fêtes d'hiver, riches, heureux du monde,
Quand le bal tournoyant de ses feux vous inonde,
Quand partout à l'entour de vos pas vous voyez
Briller et rayonner cristaux, miroir, balustres,
Candélabres ardents, cercle étoilé des lustres,
Et la danse, et la joie au front des conviés ;

Tandis qu'un timbre d'or sonnant dans vos demeures
Vous change en joyeux chant la voix grave des heures,
Oh ! songez-vous parfois que, de faim dévoré,
Peut-être un indigent dans les carrefours sombres
S'arrête, et voit danser vos lumineuses ombres
Aux vitres du salon doré ?

Songez-vous qu'il est là sous le givre et la neige,
Ce père sans travail que la famine assiège?
Et qu'il se dit tout bas: – Pour un seul que de biens!
À son large festin que d'amis se récrient!
Ce riche est bien heureux, ses enfants lui sourient.
Rien que dans leurs jouets que de pain pour les miens! –
[…]

in *Les Feuilles d'automne* (XXXII)

Oh ! n'insultez jamais une femme qui tombe !
Qui sait sous quel fardeau la pauvre âme succombe !
Qui sait combien de jours sa faim a combattu !
Quand le vent du malheur ébranlait leur vertu,
Qui de nous n'a pas vu de ces femmes brisées
S'y cramponner longtemps de leurs mains épuisées !
Comme au bout d'une branche on voit étinceler
Une goutte de pluie où le ciel vient briller,
Qu'on secoue avec l'arbre et qui tremble et qui lutte,
Perle avant de tomber et fange après sa chute !
La faute en est à nous : à toi, riche ! à ton or !
Cette fange d'ailleurs contient l'eau pure encor.
Pour que la goutte d'eau sorte de la poussière,
Et redevienne perle en sa splendeur première,
Il suffit, c'est ainsi que tout remonte au jour,
D'un rayon de soleil ou d'un rayon d'amour !

6 septembre 1835

in *Les Chants du crépuscule* (XIV)

Après la bataille

Mon père, ce héros au sourire si doux,
Suivi d'un seul housard qu'il aimait entre tous
Pour sa grande bravoure et pour sa haute taille,
Parcourait à cheval, le soir d'une bataille,
Le champ couvert de morts sur qui tombait la nuit.
Il lui sembla dans l'ombre entendre un faible bruit.
C'était un espagnol de l'armée en déroute
Qui se traînait sanglant sur le bord de la route,
Râlant, brisé, livide, et mort plus qu'à moitié,
Et qui disait : – À boire, à boire, par pitié ! –
Mon père, ému, tendit à son housard fidèle
Une gourde de rhum qui pendait à sa selle,
Et dit : – Tiens, donne à boire à ce pauvre blessé. –

Tout à coup, au moment où le housard baissé
Se penchait vers lui, l'homme, une espèce de maure,
Saisit un pistolet qu'il étreignait encore,
Et vise au front mon père en criant : Caramba !
Le coup passa si près que le chapeau tomba
Et que le cheval fit un écart en arrière.
– Donne-lui tout de même à boire, dit mon père.

in « Le Temps présent », *La Légende des siècles*, chap. XLIX

Depuis six mille ans la guerre
Plaît aux peuples querelleurs,
Et Dieu perd son temps à faire
Les étoiles et les fleurs.

in *Les Chansons des rues et des bois,* livre II, chap. III, I

Écrit après la visite d'un bagne

Chaque enfant qu'on enseigne est un homme
[qu'on gagne.
Quatre-vingt-dix voleurs sur cent qui sont au bagne
Ne sont jamais allés à l'école une fois,
Et ne savent pas lire, et signent d'une croix.
C'est dans cette ombre-là qu'ils ont trouvé le crime.
L'ignorance est la nuit qui commence l'abîme.
Où rampe la raison, l'honnêteté périt.
Dieu, le premier auteur de tout ce qu'on écrit,
A mis, sur cette terre où les hommes sont ivres,
Les ailes des esprits dans les pages des livres.
Tout homme ouvrant un livre y trouve une aile, et peut
Planer là-haut où l'âme en liberté se meut.
L'école est sanctuaire autant que la chapelle.
L'alphabet que l'enfant avec le doigt épelle
Contient sous chaque lettre une vertu ; le cœur
S'éclaire doucement à cette humble lueur.
Donc au petit enfant donnez le petit livre.
Marchez la lampe en main pour qu'il puisse vous suivre.

La nuit produit l'erreur et l'erreur l'attentat.
Faute d'enseignement, on jette dans l'état
Des hommes animaux, têtes inachevées,
Tristes instincts qui vont les prunelles crevées,
Aveugles effrayants, au regard sépulcral,
Qui marchent à tâtons dans le monde moral.
Allumons les esprits, c'est notre loi première,
Et du suif le plus vil faisons notre lumière.
L'intelligence veut être ouverte ici-bas ;
Le germe a droit d'éclore ; et qui ne pense pas
Ne vit pas. Ces voleurs avaient le droit de vivre.
Songeons-y bien, l'école en or change le cuivre,
Tandis que l'ignorance en plomb transforme l'or !...
[...]

extrait des *Quatre Vents de l'esprit*

La Barricade

Sur une barricade, au milieu des pavés
Souillés d'un sang coupable et d'un sang pur lavés,
Un enfant de douze ans est pris avec des hommes.
« Es-tu de ceux-là, toi ? » L'enfant dit : « Nous en sommes.
– C'est bon, dit l'officier, on va te fusiller.
Attends ton tour. » L'enfant voit des éclairs briller,
Et tous ses compagnons tomber sous la muraille.
Il dit à l'officier : « Permettez-vous que j'aille
Rapporter cette montre à ma mère chez nous ?
– Tu veux t'enfuir ? – Je vais revenir. – Ces voyous
Ont peur ? Où loges-tu ? – Là, près de la fontaine.
Et je vais revenir, monsieur le Capitaine.

–Va-t’en, drôle ! » L’enfant s’en va. Piège grossier !
Et les soldats riaient avec leurs officiers.
Et les mourants mêlaient à ce rire leur râle ;
Mais le rire cessa, car soudain l’enfant pâle,
Brusquement reparu, fier comme Viala*,
Vint s’adosser au mur et leur dit : « Me voilà. »

La mort stupide eut honte, et l’officier fit grâce.

11 juin 1871

in *L’Année terrible*

Souvenir de la nuit du 4

L'enfant avait reçu deux balles dans la tête.
Le logis était propre, humble, paisible, honnête;
On voyait un rameau bénit sur un portrait.
Une vieille grand-mère était là qui pleurait.
Nous le déshabillions en silence. Sa bouche,
Pâle, s'ouvrait; la mort noyait son œil farouche;
Ses bras pendants semblaient demander des appuis.
Il avait dans sa poche une toupie en buis.
On pouvait mettre un doigt dans les trous de ses plaies.
Avez-vous vu saigner la mûre dans les haies?
Son crâne était ouvert comme un bois qui se fend.
L'aïeule regarda déshabiller l'enfant,
Disant: –Comme il est blanc! approchez donc la lampe!
Dieu! ses pauvres cheveux sont collés sur sa tempe! –
Et quand ce fut fini, le prit sur ses genoux.
La nuit était lugubre; on entendait des coups
De fusil dans la rue où l'on en tuait d'autres.
–Il faut ensevelir l'enfant, dirent les nôtres,
Et l'on prit un drap blanc dans l'armoire en noyer.
L'aïeule cependant l'approchait du foyer

Comme pour réchauffer ses membres déjà roides.
Hélas ! ce que la mort touche de ses mains froides
Ne se réchauffe plus aux foyers d'ici-bas !
Elle pencha la tête et lui tira ses bras,
Et dans ses vieilles mains prit les pieds du cadavre.
– Est-ce que ce n'est pas une chose qui navre,
Cria-t-elle ! monsieur, il n'avait pas huit ans !
Ses maîtres, il allait en classe, étaient contents.
Monsieur, quand il fallait que je fisse une lettre,
C'est lui qui l'écrivait. Est-ce qu'on va se mettre
À tuer les enfants maintenant ? Ah ! mon Dieu !
On est donc des brigands ! Je vous demande un peu,
Il jouait ce matin, là, devant la fenêtre !
Dire qu'ils m'ont tué ce pauvre petit être !
Il passait dans la rue, ils ont tiré dessus.
Monsieur, il était bon et doux comme un Jésus.
Moi je suis vieille, il est tout simple que je parte ;
Cela n'aurait rien fait à monsieur Bonaparte
De me tuer au lieu de tuer mon enfant ! –
Elle s'interrompit, les sanglots l'étouffant,
Puis elle dit, et tous pleuraient près de l'aïeule :
– Que vais-je devenir à présent toute seule ?

Expliquez-moi cela, vous autres, aujourd'hui.
Hélas ! je n'avais plus de sa mère que lui.
Pourquoi l'a-t-on tué ? je veux qu'on me l'explique.
L'enfant n'a pas crié Vive la République. –
Nous nous taisions, debout et graves, chapeau bas,
Tremblant devant ce deuil qu'on ne console pas.
Vous ne compreniez point, mère, la politique.
Monsieur Napoléon, c'est son nom authentique,
Est pauvre et même prince ; il aime les palais ;
Il lui convient d'avoir des chevaux, des valets,
De l'argent pour son jeu, sa table, son alcôve,
Ses chasses ; par la même occasion, il sauve
La famille, l'Église et la société ;
Il veut avoir Saint-Cloud, plein de roses l'été,
Où viendront l'adorer les préfets et les maires ;
C'est pour cela qu'il faut que les vieilles grand-mères,
De leurs pauvres doigts gris que fait trembler le temps,
Cousent dans le linceul des enfants de sept ans.

Jersey, 2 décembre 1852

in *Les Châtiments*

La proclamation de l'abolition de l'esclavage se fit à la Guadeloupe avec solennité. [...]
Au moment où le gouverneur proclamait l'égalité de la race blanche, de la race mulâtre et de la race noire, il n'y avait sur l'estrade que trois hommes, représentant pour ainsi dire les trois races : un blanc, le gouverneur ; un mulâtre qui lui tenait le parasol ; et un nègre qui lui portait son chapeau.

in *Choses vues*

À qui la faute ?

Tu viens d'incendier la Bibliothèque ?

–Oui.

J'ai mis le feu là.

–Mais c'est un crime inouï !

Crime commis par toi contre toi-même, infâme !
Mais tu viens de tuer le rayon de ton âme !
C'est ton propre flambeau que tu viens de souffler !
Ce que ta rage impie et folle ose brûler,
C'est ton bien, ton trésor, ta dot, ton héritage !
Le livre, hostile au maître, est à ton avantage.
Le livre a toujours pris fait et cause pour toi.
Une bibliothèque est un acte de foi
Des générations ténébreuses encore
Qui rendent dans la nuit témoignage à l'aurore.
Quoi ! dans ce vénérable amas de vérités,
Dans ces chefs-d'œuvre pleins de foudre et de clartés,
Dans ce tombeau des temps devenu répertoire,
Dans les siècles, dans l'homme antique, dans l'histoire,
Dans le passé, leçon qu'épelle l'avenir,

Dans ce qui commença pour ne jamais finir,
Dans les poètes ! quoi, dans ce gouffre des bibles,
Dans le divin monceau des Eschyles terribles,
Des Homères, des Jobs, debout sur l'horizon,
Dans Molière, Voltaire et Kant, dans la raison,
Tu jettes, misérable, une torche enflammée !
De tout l'esprit humain tu fais de la fumée !
As-tu donc oublié que ton libérateur,
C'est le livre ? Le livre est là sur la hauteur ;
Il luit ; parce qu'il brille et qu'il les illumine,
Il détruit l'échafaud, la guerre, la famine ;
Il parle, plus d'esclave et plus de paria.
Ouvre un livre, Platon, Milton, Beccaria ;
Lis ces prophètes, Dante, ou Shakespeare, ou Corneille ;
L'âme immense qu'ils ont en eux, en toi s'éveille ;
Ébloui, tu te sens le même homme qu'eux tous ;
Tu deviens en lisant grave, pensif et doux ;
Tu sens dans ton esprit tous ces grands hommes croître,
Ils t'enseignent ainsi que l'aube éclaire un cloître ;
À mesure qu'il plonge en ton cœur plus avant,
Leur chaud rayon t'apaise et te fait plus vivant ;

Ton âme interrogée est prête à leur répondre ;
Tu te reconnais bon, puis meilleur ; tu sens fondre
Comme la neige au feu, ton orgueil, tes fureurs,
Le mal, les préjugés, les rois, les empereurs !
Car la science en l'homme arrive la première.
Puis vient la liberté. Toute cette lumière,
C'est à toi, comprends donc, et c'est toi qui l'éteins !
Les buts rêvés par toi sont par le livre atteints !
Le livre en ta pensée entre, il défait en elle
Les liens que l'erreur à la vérité mêle.
Car toute conscience est un nœud gordien.
Il est ton médecin, ton guide, ton gardien.
Ta haine, il la guérit ; ta démence, il te l'ôte.
Voilà ce que tu perds, hélas, et par ta faute !
Le livre est ta richesse à toi ! c'est le savoir,
Le droit, la vérité, la vertu, le devoir,
Le progrès, la raison dissipant tout délire.
Et tu détruis cela, toi !

–Je ne sais pas lire.

Juin 1871

in *L'Année terrible*

[…] Un jour, quand l'homme sera sage,
Lorsqu'on n'instruira plus les oiseaux par la cage,
Quand les sociétés difformes sentiront
Dans l'enfant mieux compris se redresser leur front,
Que, des libres essors ayant sondé les règles,
On connaîtra la loi de croissance des aigles,
Et que le plein midi rayonnera pour tous,
Savoir étant sublime, apprendre sera doux.
Alors, tout en laissant au sommet des études
Les grands livres latins et grecs, ces solitudes
Où l'éclair gronde, où luit la mer, où l'astre rit,
Et qu'emplissent les vents immenses de l'esprit,
C'est en les pénétrant d'explication tendre,
En les faisant aimer, qu'on les fera comprendre.
Homère emportera dans son vaste reflux
L'écolier ébloui ; l'enfant ne sera plus
Une bête de somme attelée à Virgile ;
Et l'on ne verra plus ce vif esprit agile
Devenir, sous le fouet d'un cuistre ou d'un abbé,
Le lourd cheval poussif du pensum embourbé.
Chaque village aura, dans un temple rustique,
Dans la lumière, au lieu du magister antique,

Trop noir pour que jamais le jour y pénétrât,
L'instituteur lucide et grave, magistrat
Du progrès, médecin de l'ignorance, et prêtre
De l'idée; et dans l'ombre on verra disparaître
L'éternel écolier et l'éternel pédant.
L'aube vient en chantant, et non pas en grondant.
Nos fils riront de nous dans cette blanche sphère;
Ils se demanderont ce que nous pouvions faire
Enseigner au moineau par le hibou hagard.
Alors, le jeune esprit et le jeune regard
Se lèveront avec une clarté sereine
Vers la science auguste, aimable et souveraine;
Alors, plus de grimoire obscur, fade, étouffant;
Le maître, doux apôtre incliné sur l'enfant,
Fera, lui versant Dieu, l'azur et l'harmonie,
Boire la petite âme à la coupe infinie.
Alors, tout sera vrai, lois, dogmes, droits, devoirs.
Tu laisseras passer dans tes jambages noirs
Une pure lueur, de jour en jour moins sombre,
Ô nature, alphabet des grandes lettres d'ombre!

Paris, mai 1831

extrait de *À propos d'Horace* in « Aurore (XIII) »,
Les Contemplations, livre I

Ceux qui vivent, ce sont ceux qui luttent ; ce sont
Ceux dont un dessein ferme emplit l'âme et le front,
Ceux qui d'un haut destin gravissent l'âpre cime,
Ceux qui marchent pensifs, épris d'un but sublime,
Ayant devant les yeux sans cesse, nuit et jour,
Ou quelque saint labeur ou quelque grand amour.

in *Les Châtiments*

Lexique

Dolorosæ (p. 121) : douleur.
Oceano nox (p. 116) : nuit océane.
Oh primavera ! gioventù dell'anno !
Oh gioventù, primavera della vita ! (p. 47) :
Oh printemps, jeunesse de l'année !
Oh jeunesse, printemps de la vie !
Porcherons (p. 124) : enseigne d'une auberge.
Vere novo (p. 44) : temps nouveau.
Viala (p. 143) : jeune patriote français (1780-1793). Engagé dans la garde nationale, il fut blessé par les royalistes et mourut achevé à coup de baïonnette.

QUELQUES DATES POUR MIEUX CONNAÎTRE VICTOR HUGO

1802 : Naissance le 26 février à Besançon.

1816 : Il écrit ses premiers poèmes et déclare : « Je veux être Chateaubriand ou rien. »

1821 : Mort de sa mère. Son père, le général Hugo, se remarie.

1822 : Il publie *Odes et poésies diverses* et épouse Adèle Foucher.

1823 : Il publie son roman *Han d'Islande.* Naissance de son premier fils, Léopold, qui mourra dans l'année.

1824 : Naissance de Léopoldine Hugo.

1826 : Naissance de Charles Hugo.

1827 : Il publie *Cromwell*, dont la préface révolutionne le théâtre.

1828 : Naissance de François-Victor Hugo.

1829 : Les Orientales (poésies) et *Hernani* (théâtre).

1830 : Naissance d'Adèle Hugo.

1831 : Il termine *Notre-Dame de Paris* et publie les *Feuilles d'automne* (poésies).

1835 : Les Chants du crépuscule (poésies).

1837 : Les Voix intérieures (poésies).

1840 : Les Rayons et les Ombres (poésies).

1841 : Il est élu à l'Académie française.

1843 : Sa fille Léopoldine et son gendre se noient dans la Seine.

1845 : Hugo est nommé pair de France.

1848 : Révolution de février.

1849 : Il est élu député à l'Assemblée et fait scandale par son discours sur la misère. Il rompt définitivement avec la droite.

1851 : Coup d'État de Louis Bonaparte (le futur Napoléon III). Hugo tente d'organiser la résistance. Le 11 décembre, il doit s'enfuir de France. Son exil commence...

1852 : Il écrit *Napoléon le Petit* et s'installe à Jersey, une île anglaise proche de la France.

1853 : Les Châtiments (poésies), un terrible pamphlet politique.

1855 : Il est expulsé de Jersey et part se réfugier sur une autre île anglaise, Guernesey. Il devient pour toute l'Europe le symbole de la liberté combattante.

1856 : Les Contemplations (poésies).

1859 : Napoléon III amnistie Hugo, mais celui-ci refuse de rentrer en France. Il publie *La Légende des siècles* (poésies).

1862 : Les Misérables, qui recueillent un immense succès.

1866 : *Les Travailleurs de la mer.*

1870 : Vaincu par la Prusse, le régime de Napoléon III s'effondre. En septembre, proclamation de la république. Le poète rentre à Paris où il est ovationné.

1871 : Mort subite de son fils Charles. Obsèques de celui-ci le jour où commence l'insurrection de la Commune.

1872 : Sa fille Adèle, devenue folle, est internée.

1873 : Mort de son fils François-Victor.

1876 : Il est élu sénateur de Paris. Il intervient pour demander l'amnistie des communards.

1877 : Il publie *L'Art d'être grand-père* (poésies).

1881 : Le peuple de Paris (600 000 personnes !) défile sous ses fenêtres et l'acclame, pour célébrer son entrée dans sa quatre-vingtième année.

1885 : Atteint le 15 mai d'une congestion pulmonaire, il meurt le 22 mai. Il a réclamé pour son enterrement le corbillard des pauvres. Le gouvernement décide de faire au poète des funérailles nationales, de l'Arc de Triomphe au Panthéon.

Table des matières

Hugo, le prohète • *5*

Sentiment amoureux • *7*

Je respire où tu palpites,... • *9*
Aimons toujours ! aimons encore !... • *14*
L'hirondelle au printemps... • *18*
Mon bras pressait ta taille frêle... • *19*
Mes vers fuiraient, doux et frêles... • *20*
Vieille chanson du jeune temps • *21*
La Coccinelle • *24*
Lise • *26*
À doña Rosita Rosa • *28*
À Rosita • *31*
C'est parce qu'elle se taisait • *32*
Le Doigt de la femme • *34*
Je ne me mets pas en peine... • *36*
Oh ! qui que vous soyez,... • *38*
Chanson • *41*
Vois, cette branche est rude,... • *43*
Vere novo • *44*
Ô poète ! je vais dans ton âme blessée... • *45*
Ô mes lettres d'amour,... • *47*

Nature et Panthéisme • *51*

J'aime l'araignée et j'aime l'ortie... • *52*
Unité • *54*
Le poète s'en va... • *55*
Oh ! les charmants oiseaux joyeux !... • *57*
Le Nid • *60*
La Méridienne du lion • *62*

Les enfants lisent, troupe blonde ;… • *64*
Je payai le pêcheur… • *67*
Et la terre, agitant la ronce… • *69*
Spectacle rassurant • *71*
Tout, comme toi, gémit,… • *74*
Parfois, lorsque tout dort,… • *75*
L'aurore s'allume,… • *76*
La tombe dit à la rose :… • *78*
J'eus toujours de l'amour… • *79*

Amour paternel • *81*
Lorsque l'enfant paraît,… • *82*
Jeanne songeait, sur l'herbe… • *85*
Jeanne était au pain sec… • *86*
Elle avait pris ce pli… • *88*
Mes deux filles • *90*
À des oiseaux envolés • *91*
Venez, enfants !… • *94*
Quand nous habitions tous ensemble… • *95*
Les Enfants pauvres • *99*
À une jeune fille • *101*
Un brave ogre des bois,… • *103*
Ce siècle avait deux ans… • *105*

Tristesse et mort • *107*
Trois ans après • *108*
Oh ! je fus comme fou… • *111*
On vit, on parle,… • *113*
Demain, dès l'aube,… • *115*
Oceano nox • *116*
Mors • *119*
Dolorosæ • *121*

Le militant humaniste et social • *123*
Le pesant chariot porte… • *124*
Où vont tous ces enfants… • *127*
Rencontre • *128*
Le Mendiant • *130*
Croire, mais pas en nous • *132*
Pour les pauvres • *134*
Oh ! n'insultez jamais… • *136*
Après la bataille • *137*
Depuis six mille ans la guerre… • *139*
Écrit après la visite d'un bagne • *140*
La Barricade • *142*
Souvenir de la nuit du 4 • *144*
La proclamation de l'abolition… • *147*
À qui la faute ? • *148*
Un jour, quand l'homme sera sage,… • *151*
Ceux qui vivent,… • *153*

Loi 49-956 du 16 juillet 1949
sur les publications destinées à la jeunesse

Achevé d'imprimer par France-Quercy, à Cahors
Dépôt légal : 1er trimestre 2001
N° d'impression : 10129